em neu

2008

neu

Deutsch als Fremdsprache – Niveaustufe C1

Abschlusskurs

Ausgabe 2008

Michaela Perlmann-Balme
Susanne Schwalb
Dörte Weers

Hueber Verlag

QUELLENVERZEICHNIS

S. 9: Foto: © panther media/Armin D.; S.10: Foto: © picture-alliance/dpa; S.13: Foto links: © Gerd Pfeiffer (MHV-Archiv); rechts: © Süddeutscher Verlag Bilderdienst, München (Stephan Rumpf); S. 14: Foto: © Gerd Pfeiffer (MHV-Archiv); Text B: SPIEGEL ONLINE/Alexander Stirn; S. 15: Text C: dpa; Text D: nachrichten.aol.de; S. 17: Foto: © Deutsches Filminstitut, Frankfurt am Main; S. 19: Foto: © Gerd Pfeiffer (MHV-Archiv); S. 20: Grafik nach: R+V-Versicherung (www.ruv.de); S. 23f: Text „Mitarbeiten fürs Schnäppchen" von Johanna Tüntsch aus: Deutsche Welle; S. 26: Text „Weit weg und doch zu Hause" aus: FINANZTEST 9/97 © Stiftung Warentest; S. 28: Foto: © Dieter Reichler (MHV-Archiv); S. 31: Foto Lesen: © panthermedia/Claus Schraml; Fernsehen: © Irisblende/Heiko Wolfraum; S. 33-37: Text aus: Bertolt Brecht, Werke. Große kommentierte Berliner und Frankfurter Ausgabe, Band 18, © Suhrkamp Verlag Frankfurt am Main 1995; S. 41: Foto © Deutsches Theatermuseum, München; Liedtext aus: Bertolt Brecht, Werke. Große kommentierte Berliner und Frankfurter Ausgabe, Band 11: Gedichte 1, © Suhrkamp Verlag Frankfurt am Main 1988; S. 43/44: Fotos © Gerd Pfeiffer (MHV-Archiv); S. 45f: „Regeln" aus: Focus 2/2006 © Focus Modernes Leben; S. 50f: Text „Die Freiheit auf der Autobahn zu rasen" von Robert Cooper/Birgit Weidinger aus: SZ vom 03.01.1998 © DIZ; S. 55: Foto links: © picture-alliance/dpa; rechts: © Süddeutscher Verlag Bilderdienst, München (Sven Simon); S. 56: Foto © DAK/Wigger; Text „Was die Seele mit dem Rücken macht" aus: DAKmagazin fit 4/2001, S. 12; S. 58: Foto: Courtesy of the Library of Congress, LC-USZ62-72266; Text aus: Bernd Lutz (Hrsg): Metzler Philosophen Lexikon. Von den Vorsokratikern bis zu den Neuen Philosophen. 3., aktualisierte und erweiterte Auflage, S. 231-233. © 2003 J.B. Metzlersche Verlagsbuchhandlung und Carl Ernst Poeschel Verlag GmbH in Stuttgart; S. 59: Foto: © Süddeutscher Verlag Bilderdienst, München (Sven Simon); S. 60: Foto: © Wolfgang Schmidbauer; Hörtext: „Der Kampf der Erinnerungen – Was passiert in der Psychoanalyse" von Gabriele Bondy, Redaktion: R. Vogel, BR Schulfunk 1998; S. 62: Text „Kreativität –" aus: Focus 39/1996 © Focus Modernes Leben; S. 63: Foto: © Süddeutscher Verlag Bilderdienst, München (David Ausserhofer); S. 64: Foto links oben: „Selbstmanagement / TRANSFER" © 2006 GABAL Verlag, Offenbach am Main, ISBN 3-89749-647-x / 978-3-89749-647-7; Abbildung rechts oben: mit freundlicher Genehmigung der geva-Institut GmbH; links unten: mit freundlicher Genehmigung von Neuland & Partner Development and Training, rechts unten © MHV-Archiv; S. 65: Foto: © Dieter Reichler (MHV-Archiv); S. 67: Foto: © Corbis; S. 68: „Fragebogen" aus: STERN 23/97 © Gassen; S. 69f: Foto: © picture-alliance/dpa; Text „Frauen..." aus: STERN 23/97 © Gassen; S. 70: Text 2: mit freundlicher Genehmigung von Frau Professor Christine Nüsslein-Volhard; Text 3 aus: AZ vom 08.03.96 © Susanne Geiger; Text 4: Autoren; S. 72: Foto: © Irisblende/ Reinhard Berg; S. 73: Foto: © MEV (MHV) ; S. 74: Text und Grafik: © Globus Infografik; S. 75f: Foto: © MEV (MHV), Texte aus: AOL Deutschland, aol.de/finanzen; S. 77: Grafik: © Globus Infografik; S. 79: Foto aus: „Über den Dächern von Nizza" © Stiftung Deutsche Kinemathek, Berlin; S. 80: Text: Franz Specht, Wessling; S. 82: Foto rechts: © Dieter Reichler (MHV-Archiv); links © Deutscher Kinderschutzbund Hannover (Art & Fotografie Freibeuter); Text zitiert nach: Die Woche v. 30.05.1997; S. 83: Foto rechts: © Gudrun-Holde

Otmer (MHV-Archiv); links © Süddeutscher Verlag Bilderdienst (Lothar Kucharz); Text zitiert nach: die Woche v. 30.05.1997; S. 86f: Fotos © Gerd Pfeiffer (MHV-Archiv), Text „Tatort Alltag ..." aus: „Die Wahrheit über die Lüge" gesendet am 06.09.2001 in Abenteuer Wissen, TV-Beitrag: Rasmus Elsner; Online-Beitrag: Martina Falkenhage © ZDF*; S. 88: Foto: © Süddeutscher Verlag Bilderdienst (Andreas Heddergott); Text aus: „Gegen die Wahrheit des Lügendetektors" von Ekkehard Müller-Jentsche, SZ vom 10.11.1998, © DIZ; S. 91: Foto 1, 2, 4, 5 und 7 aus der Broschüre „Deutsche Stars. 50 Innovationen, die jeder kennen sollte" © Initiative „Partner für Innovation", fischerAppelt, Berlin; 3 © Irisblende/Alexander Bernhard; 6 © panthermedia/ Rene W.; S. 92f: Text aus Broschüre „Deutsche Stars. 50 Innovationen, die jeder kennen sollte" © Initiative „Partner für Innovation", fischerAppelt, Berlin; Abbildung: MHV-Archiv; S. 93: Foto: © MHV-Archiv; S. 94: Foto 1, 2. und 4.v.l.: © MHV-Archiv; 3.v.l.: © panthermedia/Ralf Jüngling; 5. v.l.: © Shotshop/Jan Öztürk-Lettau; 6.v.l. : © panthermedia/Ludger Banneke-Wilking; S. 95: © Dieter Reichler (MHV-Archiv); S. 98f: Fotos: © Bayer AG, Leverkusen; Text aus: SZ Magazin 13/93 © Magazin Verlagsgesellschaft SZ München mbH; S. 101: Text 1 aus: SZ v. 08.06.2001, © DIZ; S. 103: Bilder © Artothek, Peissenberg; S. 104: Foto © Bildarchiv der Österreichischen National-bibliothek; Text aus: Gegenwelten. Gustav Klimt – Künstlerleben im Fin de Siecle von Susanne Partsch, Bayerische Vereinsbank, 1996; S. 106: oben: Kölner Dom © MEV/MHV; Haus am Horn © Bernd Rudolf; Schinkelgebäude © Presse- und Informationsamt des Landes Berlin/G. Schneider; Wiener Jugendstil © OEW/Eder Abbildung unten links: © COR Sitzmöbel/Design: Studio Vertijet; unten rechts: © Bröhan-Museum, Berlin COR Sitzmöbel/Design: Studio Vertijet; S. 108: Bild links: © Historisches Museum der Stadt Wien; Mitte und rechts: © Artothek, Peissenberg; S. 109f: Foto: © Franz Killmeyer, Wien; Text aus: BRIGITTE 22/96, BRIGITTE/Kölblinger); S. 110: Foto © Andreas Bohnenstengel, München; S. 113: Foto oben: © Burgtheater Wien (Andreas Pohlmann); unten: © Deutsches Theatermuseum, München; S. 114: Fotos © Dieter Reichler (MHV-Archiv) ; S. 117: Foto oben: © Irisblende/Reinhard Berg; Mitte: © panthermedia/Ingo Dumreicher; unten: © Irisblende /Iris Kaczmarczyk; S. 119: Abbildung: © Helge Glatzel-Poch, Bad Tölz; S. 120: Foto oben: © Creatas/Thinkstock Images (MHV); Mitte: © MEV (MHV); unten: © Irisblende/Normann Hochheimer; S. 121: Foto links: © panthermedia/Günter F.; rechts: © panthermedia/Anna R.; Text unten aus: Psychologie Heute Heft 12/2005 von Martin Hecht „Wir Heimat-Vertriebenen"; S. 122: Foto links: © Irisblende/Alexander Bernhard; rechts: © picture-alliance/dpa; S. 123: © panthermedia/Deflef S.; 127: Fotos und Hörtext: © WDR mediagroup/Caligari Film

Wir haben uns bemüht, alle Inhaber von Text- und Bildrechten ausfindig zu machen. Sollten Rechteinhaber hier nicht aufgeführt sein, so wäre der Verlag für entsprechende Hinweise dankbar.

4.	3.	2.		Die letzten Ziffern
2013	12	11	10 09	bezeichnen Zahl und Jahr des Druckes.

Alle Drucke dieser Auflage können, da unverändert,
nebeneinander benutzt werden.
1. Auflage
© 2008 Hueber Verlag, 85737 Ismaning, Deutschland
Verlagsredaktion: Maria Koettgen, Dörte Weers, Thomas Stark, Hueber Verlag
Umschlaggestaltung, Layout: Marlene Kern, München
Zeichnungen: Martin Guhl, Cartoon-Caricature-Center, München
Druck und Bindung: Stürtz GmbH, Würzburg
Printed in Germany
ISBN 978-3-19-501697-1

INHALT

LEKTION 1	AUS ALLER WELT	9-18
Einstiegsseite	Interview: *Zur Person*	9
Lesen 1	Kurzmeldungen: *Nachrichten aus aller Welt*	**10**
Wortschatz	*Verben des Sagens; Redewiedergabe*	**12**
Schreiben	Eine Meldung verfassen	13
Lesen 2	Reportage, Kommentar: *Bären in Europa*	**14**
Sprechen	Präsentation: *Zeitungsmeldung*	16
Hören	Kurzkritik: *Tipps für den Fernsehabend*	17
Grammatik	Redewiedergabe	**18**

LEKTION 2	FINANZEN	19-30
Einstiegsseite	Bildbeschreibung: *Geldmangel*	19
Wortschatz	Lebenshaltungskosten	**20**
Schreiben 1	Artikel: *Lebenshaltungskosten international*	21
Hören 1	Radio-Ratgeber: *Geldgeschäfte auf der Bank*	22
Lesen 1	Internetreportage: *Kundenmitarbeit*	**23**
Hören 2	Auskunftsgespräch: *Internet-Verkaufsagentur*	25
Lesen 2	Ratgeber: *Mitwohnzentralen*	**26**
Schreiben 2	Formeller und informeller Brief	28
Sprechen	Verhandlung: *Zimmersuche*	29
Grammatik	Zweiteilige Konnektoren; Modalpartikeln	**30**

LEKTION 3	LITERATUR	31-42
Einstiegsseite	Kurzvortrag: *Fernsehen oder lesen?*	31
Sprechen 1	Präsentation: *Hörbuch*	32
Lesen	Erzählung – Bertolt Brecht: *Die unwürdige Greisin*	**33**
Schreiben	Referat: *Wie sollen alte Menschen leben?*	38
Wortschatz	*Eigenschaften und Vorurteile*	**39**
Sprechen 2	Argumentation: *Vorurteile*	40
Hören	Song: *Moritat von Mackie Messer*	41
Grammatik	Adjektive	**42**

LEKTION 4	DER GUTE TON	43-54
Einstiegsseite	*Schlechte Manieren*	43
Hören	Unterhaltung: *Richtiges Benehmen*	44
Lesen 1	Ratgeber: *Regeln zum richtigen Benehmen*	**45**
Schreiben 1	Test: *Andere Länder – andere Sitten* Eigenschaften und Vorurteile	47
Schreiben 2	Formelle Briefe	48
Sprechen	Beratungsgespräch: *Anrede*	49
Lesen 2	Rede: *Über die Deutschen*	**50**
Wortschatz	*Mündliche Kommunikation*	**53**
Grammatik	Funktionen des Wortes „es"	**54**

LEKTION 5	PSYCHOLOGIE	55-66
Einstiegsseite	*Körpersprache*	55
Lesen 1	Magazinbeitrag: *Was die Seele mit dem Rücken macht*	**56**
Lesen 2	Lexikon: *Sigmund Freud*	**58**
Hören	Expertengespräch: *Was passiert in der Psychoanalyse?*	59
Wortschatz	*Geist und Seele*	**61**
Lesen 3	Tipps: *Kreativität*	**62**
Sprechen	Beschreibung: *Ordnung – Vier Typen*	63
Schreiben	Private E-Mail	65
Grammatik	Genitiv	**66**

LEKTION 6	KARRIERE	67-78
Einstiegsseite	*Personenbeschreibung*	67
Sprechen	Umfrage: *Karriere*	68
Lesen 1	Reportage, Kommentar: *Erfolgreiche Frauen*	**69**
Hören	Radioreportage: *Was ist Personalchefs wichtig?*	72
Wortschatz	Gehalt	**73**
Lesen 2	Internetreportage: *Stolpersteine der Karriere*	**75**
Schreiben	Informativer Text: *Stress am Arbeitsplatz*	77
Grammatik	Verbalstil – Nominalstil	**78**

LEKTION 7	KRIMINALITÄT	79-90
Einstiegsseite	Vermutungen: *Kriminalfilm*	79
Lesen 1	Kurzprosa: *Eine Branche im Strukturwandel*	**80**
Wortschatz	*Recht und Kriminalität*	**81**
Lesen 2	Statements: *Strafmündigkeit von Kindern*	**82**
Sprechen	Kurzvortrag: *Strafmündigkeit*	84
Schreiben	Kreatives Schreiben: *Mini-Krimi*	85
Lesen 3	Internetreportage: *Die Lüge*	**86**
Hören	Radiobericht: *Lügendetektoren*	88
Grammatik	Nomen-Verb-Verbindungen	**90**

LEKTION 8	WISSENSCHAFT	91-102
Einstiegsseite	*Erfindungen*	91
Lesen 1	Kurzreportagen: *Innovationen, die unseren Alltag verändert haben*	**92**
Schreiben	Artikel: *Technische Innovationen*	94
Wortschatz	*Wissenschaft*	**95**
Hören	Rede: *Konferenzeröffnung*	96
Sprechen 1	Projekt: *Eine Rede halten*	97
Lesen 2	Magazin-Beitrag: *Die Jahrhundert-Droge*	**98**
Sprechen 2	Diskussion: *Biotechnologie*	101
Grammatik	Präpositionen	**102**

LEKTION 9	KUNST	103-116
Einstiegsseite	*Beschreibung von Gemälden*	103
Lesen 1	Fachtext: *Klimts Atelier*	**104**
Wortschatz	*Epochen, Stile*	**106**
Sprechen 1	Verhandlung: *Bau eines neuen Museums*	107
Hören	Bildinterpretation: *Drei Frauen*	108
Lesen 2	Reportage: *Die Prüfung*	**109**
Schreiben	Persönlicher Brief	112
Sprechen 2	Bilder als Sprechanlass: *Theater*	113
Grammatik	Attribution; Modalverben – „subjektiver" Gebrauch	**115**

LEKTION 10	GLOBALISIERUNG	117-128
Einstiegsseite	*Woher stammt die Kleidung?*	117
Hören 1	Radiofeature: *Pro und kontra Globalisierung*	118
Sprechen	Diskussion: *Folgen der Globalisierung*	119
Lesen 1	Biografien: *Lebensmittelpunkt*	**120**
Lesen 2	Reportage Fachzeitschrift: *Heimat*	**121**
Wortschatz	Wörter erschließen	**125**
Schreiben	Textzusammenfassung	126
Hören 2	Dokumentation: *Zeitreisen und Auswanderer*	127
Grammatik	Besondere Aspekte des Passivs	**128**

KURSPROGRAMM

LEKTION	LESEN	HÖREN	SCHREIBEN
1 **AUS ALLER WELT** S. 9–18	**1** Kurzmeldungen *Nachrichten aus aller Welt* **S. 10** **2** Reportage, Kommentar *Bären in Europa* **S. 14**	Kurzkritik *Tipps für den Fernsehabend* **S. 17**	Eine Meldung verfassen **S. 13**
2 **FINANZEN** S. 19–30	**1** Internetreportage: *Kundenmitarbeit* **S. 23** **2** Ratgeber *Mitwohnzentrale* **S. 26**	**1** Radio-Ratgeber *Geldgeschäfte auf der Bank* **S. 22** **2** Auskunftsgespräch *Internet-Verkaufsagentur* **S. 25**	**1** Artikel *Lebenshaltungskosten international* **S. 21** **2** Formeller und informeller Brief **S. 28**
3 **LITERATUR** S. 31–42	**1** Erzählung *Bertolt Brecht: Die unwürdige Greisin* **S. 33**	Song *Moritat von Mackie Messer* **S. 41**	Referat *Wie sollen alte Menschen leben?* **S. 38**
4 **DER GUTE TON** S. 43–54	**1** Ratgeber *Regeln zum richtigen Benehmen* **S. 45** **2** Rede *Über die Deutschen* **S. 50**	Unterhaltung *Richtiges Benehmen* **S. 44**	**1** Test *Andere Länder – andere Sitten* **S. 47** **2** Formelle Briefe **S. 48**
5 **PSYCHOLOGIE** S. 55–66	**1** Magazinbeitrag *Was die Seele mit dem Rücken macht* **S. 56** **2** Lexikoneintrag *Sigmund Freud* **S. 58** **3** Tipps *Kreativität* **S. 62**	Expertengespräch *Was passiert in der Psychoanalyse?* **S. 59**	Private E-Mail **S. 65**

KURSPROGRAMM

SPRECHEN	WORTSCHATZ	GRAMMATIK
Präsentation *Zeitungsmeldung* S. 16	■ Verben des Sagens ■ Redewiedergabe S. 12	Redewiedergabe S. 18
Verhandlung *Zimmersuche* S. 29	Lebenshaltungskosten S. 20	Zweiteilige Konnektoren; Modalpartikeln S. 30
1 Präsentation *Hörbuch* S. 32 **2** Argumentation *Vorurteile* S. 40	Eigenschaften und Vorurteile S. 39	Adjektive S. 42
Beratungsgespräch *Anrede* S. 49	Mündliche Kommunikation S. 53	Funktionen des Wortes „es" S. 54
Beschreibung *Ordnung – Vier Typen* S. 63	Geist und Seele S. 61	Genitiv S. 66

KURSPROGRAMM

LEKTION	LESEN	HÖREN	SCHREIBEN
6 **KARRIERE** S. 67–78	**1** Reportage, Kommentar *Erfolgreiche Frauen* **S. 69** **2** Internetreportage *Stolpersteine der Karriere* **S. 75**	Radioreportage *Was ist Personalchefs wichtig?* **S. 72**	Informativer Text *Stress am Arbeitsplatz* **S. 77**
7 **KRIMINALITÄT** S. 79–90	**1** Kurzprosa *Eine Branche im Strukturwandel* **S. 80** **2** Statements *Strafmündigkeit von Kindern* **S. 82** **3** Internetreportage *Die Lüge* **S. 86**	Radiobericht *Lügendetektoren* **S. 88**	Kreatives Schreiben *Mini-Krimi* **S. 85**
8 **WISSENSCHAFT** S. 91–102	**1** Kurzreportage *Innovationen, die unseren Alltag verändert haben* **S. 92** **2** Magazin-Beitrag *Die Jahrhundert-Droge* **S. 98**	Rede *Konferenzeröffnung* **S. 96**	Artikel *Technische Innovationen* **S. 94**
9 **KUNST** S. 103–116	**1** Fachtext *Klimts Atelier* **S. 104** **2** Reportage *Die Prüfung* **S. 109**	Bildbeschreibung *Drei Wiener Damen* **S. 108**	Persönlicher Brief **S. 112**
10 **GLOBALISIERUNG** S. 117–128	**1** Biografien *Lebensmittelpunkt* **S. 120** **2** Reportage Fachzeitschrift *Heimat* **S. 121**	**1** Radiofeature *Pro und kontra Globalisierung* **S. 118** **2** Dokumentation *Zeitreisen und Auswanderer* **S. 127**	Textzusammenfassung **S. 126**

KURSPROGRAMM

SPRECHEN	WORTSCHATZ	GRAMMATIK
Umfrage *Karriere* S. 68	Gehalt, präzisierende und proportionale Adverbien S. 73	Verbalstil – Nominalstil S. 78
Kurzvortrag *Strafmündigkeit* S. 84	Recht und Kriminalität S. 81	Nomen-Verb-Verbindungen S. 90
1 PROJEKT *Eine Rede halten* S. 97 **2** Diskussion *Biotechnologie* S. 101	Wissenschaft S. 95	Präpositionen S. 102
1 Verhandlung *Bau eines neuen Museums* S. 107 **2** Bilder als Sprechanlass *Theater* S. 113	Epochen, Stile S. 106	Attribution; Modalverben – „subjek- tiver" Gebrauch S. 115
Diskussion *Folgen der Globalisierung* S. 119	Wörter erschließen S. 125	Besondere Aspekte des Passivs S. 128

VORWORT

Liebe Leserin, lieber Leser,

in den vergangenen Jahren haben viele erwachsene Lernende weltweit ihre Deutschkenntnisse mit dem Lehrwerk *em* Abschlusskurs ausgebaut. Dieses Lehrwerk eignet sich für Lernende, die die Prüfung zu einem der B2-Zertifikate bestanden haben oder sich außerhalb eines Kurses vergleichbare Sprachkenntnisse erworben haben.

Wenn Sie alle Lektionen in Kurs- und Arbeitsbuch erfolgreich durcharbeiten, können Sie am Ende eines Kurses das Niveau C1 erreichen, das im *Gemeinsamen europäischen Referenzrahmen* für Sprachen als die fünfte von sechs Stufen beschrieben ist.

Um Ihre Chancen bei einer Stellenbewerbung bzw. für eine Bewerbung um einen Studienplatz zu steigern, können Sie sich diese sehr hohe Kompetenz durch eines der folgenden Zertifikate bestätigen lassen:
- an Goethe-Instituten: *Goethe-Zertifikat C1*
- für Studienplatzbewerber: *TestDaF*
- für Erwachsene an Volkshochschulen und anderen Einrichtungen der Erwachsenenbildung: *telc C1* oder *ÖSD C1 Mittelstufe Deutsch*.

Das flexible Baukastensystem von *em* erlaubt es Ihnen, in einem Kurs ein Lernprogramm zusammenzustellen, das auf Ihre Bedürfnisse abgestimmt ist. Mit *em* werden die vier Fertigkeiten - Lesen, Hören, Schreiben und Sprechen - systematisch trainiert. Dabei gehen wir von der lebendigen Sprache aus. Das breite Spektrum an Texten, das Sie im Inhaltsverzeichnis aufgelistet finden, spiegelt die aktuelle Realität außerhalb des Klassenzimmers wider, für die wir Sie fit machen wollen. Sie begegnen Werken der deutschsprachigen Literatur ebenso wie Texten aus der Presse und dem Rundfunk oder der Fachliteratur. Auch beim Sprechen und Schreiben haben wir darauf geachtet, dass Sie mit praxisorientierten Anlässen sprachlich agieren lernen. Sie können Strategien bei einem Beratungsgespräch ebenso üben wie ein geschäftliches Telefonat.

Unser Grammatikprogramm stellt Ihnen bereits Bekanntes und Neues im Zusammenhang dar. So können Sie Ihr sprachliches Wissen systematisch ausbauen. Auf den letzten Seiten jeder Lektion ist der Grammatikstoff übersichtlich zusammengestellt.

Viel Spaß beim Lesen, Lernen und Durcharbeiten wünschen Ihnen

Michaela Perlmann-Balme
Susanne Schwalb
Dörte Weers

Zur Person

Alter: *geboren 1972*

Familienstand: *verheiratet*

Außerberufliches: *... unter meinen zahlreichen Hobbys: Landschaftsgärten erwandern und studieren.*

1

Ich beginne meinen Tag ...
am liebsten mit Kaffee (darin viel Milch), einer Tageszeitung und feiner barocker Musik.
Meine besten Einfälle habe ich ...
auf dem Fahrrad oder abends kurz vor dem Schlafen.
Wenn ich einen Rat brauche, ...
frage ich meine Familie und einige ältere, erfahrene Kollegen.
Am meisten ärgere ich mich, ...
wenn ich selbst etwas übersehen habe oder mir nicht genügend Zeit für etwas genommen habe.
Das nächste Buch, das ich lesen will, ...
wähle ich in der Regel spontan aus und lese es dann in einem Zug durch.
Den nächsten Film, den ich sehen will, ...
lasse ich mir von Freunden empfehlen.
Wenn ich das Fernsehen anschalte, ...
sage ich zu meiner Familie: „Ich muss jetzt noch ein paar bunte Bilder sehen."
Mehr bietet die Mattscheibe meist nicht für mich.
Wenn ich mehr Zeit hätte, ...
würde ich wieder Querflöte üben.
Mit einer unverhofften Million würde ich ...
erst mal ein Konto eröffnen und mir dann in Ruhe überlegen, was damit sinnvoll anzufangen ist.
Wenn ich Politiker wäre, ...
wäre ich wahrscheinlich auch nicht einfallsreicher als die, die wir zurzeit haben.

___1___   **Kennenlernen: Interview**
Stellen Sie jemandem aus Ihrem Kurs fünf Fragen zu den oben genannten Themen und notieren Sie die Antworten.

___2___   **Gemeinsamkeiten finden**
Stellen Sie nun einer anderen Person aus dem Kurs dieselben Fragen.

___3___   **Vorstellung**
Stellen Sie Ihre Gesprächspartner/innen im Plenum vor.
Nennen Sie Gemeinsamkeiten, die Sie gefunden haben.

1   Nachrichten

Welche Medien nutzen Sie? Wie oft pro Woche?

	0	1-2	3-5	>5
Tageszeitung	☐	☐	☐	☐
Radio	☐	☐	☐	☐
Fernsehen	☐	☐	☐	☐
Internet	☐	☐	☐	☐

Welche Vor- und Nachteile haben diese Medien?

2   Lesen Sie die folgenden Zeitungsmeldungen.

Nachrichten aus aller Welt

Hamburg (AP) – Lachen ist gesund, das haben wissenschaftliche Untersuchungen von Gelotologen („Lachforscher") jetzt laut einem Bericht der Zeitschrift „Men's Health" ergeben. Die Atemtiefe nehme zu, verspannte Muskeln lockerten sich, der Organismus schütte körpereigene Opiate aus und baue schädliche Stresshormone ab. Nach Aussage des Neurologen William Fry ist Lachen aber gleichzeitig auch ein „inneres Joggen". Deshalb soll gezielt nach Situationen gesucht werden, die Spaß machen.

Ottawa (dpa) – Der mit 117 Jahren älteste Mensch der Welt, die Kanadierin Marie Louise Febronie Meilleur, ist tot. Wie die 78-jährige Tochter Olive Therrien mitteilte, sei ihre Mutter friedlich entschlafen. Das Geheimnis für das lange Leben ihrer Mutter sei ständige Arbeit gewesen, sagte ihre Tochter Rita Gutzmann (72). „Sie meinte immer, hart arbeiten bringt niemanden um." Frau Meilleur lebte zuletzt in einem Pflegeheim in Quebec.

London (AFP) – Kinder im Alter von zehn bis 16 Jahren sind in der britischen Hauptstadt London für 40 Prozent der Taschendiebstähle und Autoaufbrüche verantwortlich. Dies berichtet der „Guardian" unter Berufung auf eine Untersuchung der Londoner Polizei. Der Großteil der Delikte werde dieser Untersuchung zufolge zur Schulzeit verübt. Die Statistik von 500 Verhören weise aus, dass 21 Prozent der jungen Diebe ihren Namen oder ihre Adresse nicht fehlerfrei schreiben könnten. Die Hälfte der befragten Jugendlichen habe Schwierigkeiten, die Uhr zu lesen oder die Wochentage oder Monate des Jahres in der korrekten Reihenfolge aufzuzählen.

Wien (dpa) – Eine österreichische Fotohandelskette verspricht ihren Kunden einen Rabatt von 20 Prozent auf die Weihnachtseinkäufe, wenn es an Heiligabend schneit. Der Werbegag kann Firmeninhaber Franz Josef Hartlauer bis zu 2,2 Millionen Euro kosten. Das bestätigte ein Unternehmenssprecher. Kunden, die zwischen dem 29. November und dem 13. Dezember in einer der 110 Filialen einkaufen, erhalten 20 Prozent der Einkaufssumme zurück, wenn es am 24. Dezember um zwölf Uhr schneit. Gegen das Risiko aus dem „Schnee-Lotto" habe sich der Firmenchef bei einer britischen Versicherung versichern lassen.

Barcelona (dpa) – Für einen Hund gibt es in Spanien nach der Ehescheidung keine Besuchsregelung. Ein Gericht in Barcelona lehnte den Antrag eines Mannes ab, der nach der Trennung von seiner Frau das gemeinsame Tier regelmäßig ausführen wollte. Der Golden Retriever Yako war bei der Scheidung des Paares der Frau zugesprochen worden. Der Mann zog daraufhin vor Gericht und verlangte, das Tier sehen zu dürfen. Ein Richter sprach dem Mann im ersten Urteil dieser Art in der spanischen Justizgeschichte zunächst ein Besuchsrecht zu. Die zweite Instanz revidierte diese Entscheidung jedoch, weil ein Haustier mit einem Kind nicht auf dieselbe Stufe gestellt werden darf, so die Richter.

Neu Delhi (dpa) – Bimbala Das, Inderin aus dem ostindischen Bundesstaat Orissa, hat sich in eine Kobra verliebt und die Schlange geheiratet. „Obwohl Schlangen weder sprechen noch verstehen können, kommunizieren sie auf eine besondere Art", sagte die Dreißigjährige der Nachrichtenagentur PTI. Das Reptil habe ihr noch nie wehgetan. Da der Bräutigam bei der Hochzeit nicht zu den Feierlichkeiten erschien, wurde er durch eine Nachbildung aus Messing vertreten. Hochzeiten zwischen Menschen und anderen Lebewesen kommen in Indien öfter vor. Nach Überzeugung abergläubischer Dorfbewohner wird mit den Hochzeiten Unglück abgewehrt.

3 Themengebiete

Welche Meldung passt wozu? Nicht alle Kategorien passen.

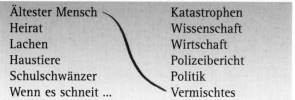

Ältester Mensch	Katastrophen
Heirat	Wissenschaft
Lachen	Wirtschaft
Haustiere	Polizeibericht
Schulschwänzer	Politik
Wenn es schneit ...	Vermischtes

4 Selektives Lesen – sieben Personen suchen einen Text.

Lesen Sie die Aufgabe und danach die Texte noch einmal so genau, wie es für das Lösen der Aufgabe nötig ist.
Welche der folgenden Personen interessiert sich wohl für welche Meldung am meisten? Begründen Sie Ihre Wahl. Es ist möglich, dass es nicht für jede Person einen passenden Text gibt.

Person	Meldung	Begründung
a Alex Schmidt ist Hauptschullehrer und ist besorgt über die zunehmende Kriminalität.	„London"	*Diebstähle usw. von Jugendlichen*
b Heike Müller ist Herausgeberin einer Modezeitschrift und plant einen Sonderteil „Leben im hohen Alter".		
c Angelika Hausmann ist Marketingleiterin in einer Kosmetikfirma.		
d Herbert Elfert arbeitet beim Gesundheitsamt im Bereich „Präventive Medizin".		
e Eva Kirchner hat sich gerade von ihrem Lebenspartner getrennt und streitet sich noch mit ihm darüber, wo der gemeinsame Kater „Puss" leben soll.		
f Else Langwald ist freie Autorin und schreibt Reiseführer.		
g Andreas Westermann studiert Jura im fünften Semester.		

AB 8 3

GR 5 Indirekte Rede

GR S. 18

a Bilden Sie Gruppen und unterstreichen Sie alle Verben in jeweils einem der Texte.

b Ordnen Sie die Verben in das folgende Schema.

Indikativ	Konjunktiv I / Konjunktiv II
Lachen ist gesund	*Die Atemtiefe nehme zu*

AB 9 4–5

c Welche Funktion haben die Verben im Konjunktiv in diesen Texten?

☐ Ausdruck eines Wunsches
☐ Redewiedergabe
☐ wörtliche Rede

d Welches Verb steht im Konjunktiv II? Warum?

11

1   Verben der Redewiedergabe

a Unterstreichen Sie in den Meldungen auf Seite 10 alle Variationen des Verbs *sagen*.

b Ergänzen Sie die Liste.

Meldungen	Verb
Ottawa	mitteilte

c Warum tauchen solche Verben in Nachrichten und Meldungen häufig auf?

AB 10   6

GR 2   Redewiedergabe

GR S. 18

a Suchen Sie in den ersten drei Texten auf Seite 10 Ausdrücke der Redewiedergabe. Beispiel: *laut einem Bericht der Zeitschrift* ...

b Ergänzen Sie im Kasten unten die fehlenden Nomen und Verben.

c Bilden Sie jeweils einen Beispielsatz mit *nach, laut, zufolge* + Nomen sowie einen Satz mit *wie*.

Nomen	Verb	Beispiel mit *nach, laut, zufolge*	Nebensatz mit *wie*
Aussage	aussagen	Nach Aussage des Neurologen ist Lachen aber gleichzeitig auch ein „inneres Joggen".	Wie der Neurologe aussagte, ist Lachen auch ein ...
	berichten		
die Mitteilung			
	erklären		
die Bestätigung			
	melden		

AB 10   7–8

3   Definitionen

a Ordnen Sie den Textsorten die Definitionen zu.

b Unterstreichen Sie alle Verben und ergänzen Sie passende Nomen.

Textsorten der Presse	Definition	Nomen
das Interview	informiert knapp über das aktuelle Tagesgeschehen, wird meist über spezielle Agenturen verbreitet, z.B. Reuters, Deutsche Presseagentur (dpa)	
die Buchbesprechung	berichtet breit und ausführlich, ist angereichert mit subjektiven Eindrücken, Stimmungsbildern u. Ä.	
der Kommentar	beurteilt ein literarisches oder wissenschaftliches Werk	die Beurteilung
die Glosse	ist ein aufgezeichnetes Gespräch zwischen einem Journalisten und einem Partner	
die Kritik	gibt die Meinung eines Journalisten wieder, z.B. zu politischen oder gesellschaftlichen Ereignissen	
die Meldung/Nachricht	fasst den Inhalt zusammen und resümiert das Urteil eines Journalisten über einen Film, ein Konzert, ein Theaterstück, eine Oper usw.	
die Reportage	kommentiert in ironischer oder polemischer Weise	

AB 11   9

1 **Sehen Sie sich die Bilder an.**

Bilden Sie Gruppen und suchen Sie sich das Bild aus, das Sie
interessanter finden.

AB 12 10

2 **Zeitungsmeldung erfinden**

Erfinden Sie eine passende Meldung zu einem der Fotos und schreiben
Sie diese auf. Arbeiten Sie in Schritten.

Schritt 1 Notieren Sie zunächst Ihre „Fakten" in diesem Raster.

Wer?	
Wo?	
Was?	
Wann?	

Schritt 2 Formulieren Sie Ihren Text aus. Schreiben Sie maximal 100 Wörter.
Verwenden Sie als Muster die folgende Meldung.

FRANCISCO GREGORI, brasilianischer Chirurg, hat
nach eigenen Angaben mit Alleskleber ein kleines
Loch im Herz einer Rentnerin zugestopft. „Wir haben eine Stunde lang versucht, das Loch zuzunähen",
sagte der Arzt gut ein Jahr nach der Operation im
Krankenhaus von Londrina. „Da fiel mir plötzlich
ein, dass Kinder sich mit dem Kleber immer die
Finger zusammenkleben". Er spreche jetzt nur darüber, weil alles gut gelaufen sei. Der Rentnerin gehe es
heute nach eigener Aussage „blendend".

AB 12 11

3 **Präsentation**

Jede Gruppe liest ihre Meldung vor. Welche ist am interessantesten?

AB 12 12

LESEN 2

__1__ Informationen aus mehreren Texten zusammentragen

Welche Aussagen in den Texten A bis D passen zu den Themenschwerpunkten
1–5 im Raster?
Ergänzen Sie. Nicht jeder Text enthält Informationen zu allen Punkten.

	Text A	Text B	Text C	Text D
0 Beispiel: Bärenmütter können Menschen angreifen	Von einer Braun- bärin mit Jungem angefallen	Können sie in Begleitung von Jungtieren gefährlich werden	/	/
1 frei lebende Bären in den Alpen				
2 Sympathie für Problembär Bruno				
3 Kampf für bedrohte Tierarten				
4 lange Jagd auf einen Bären				
5 gefährlicher Bär erschossen				

P 2 Lesen Sie die vier Texte zum Thema: „Bären in Europa"

Text A

Jogger von Braunbär getötet

Erstmals in diesem Jahrhundert ist im Jahr 2001 in
Nordeuropa wieder ein Mensch von einem Braunbären
getötet worden. Ein 42 Jahre alter Mann ist beim Joggen
im Wald von einer Braunbärin angefallen worden. Ver-
5   mutlich hatte der Schutzinstinkt des Muttertiers sein
aggressives Verhalten gegenüber dem Jogger ausgelöst.
Zeitungen berichten, die Bärin sei samt ihrem Jungen
noch am selben Tag nach einer groß angelegten Such-
aktion von Hubschraubern aus erlegt worden.

Text B

Mit dem Fortschritt kommt der Tod

Er gilt als furchtlos, als majestätisch, als Tier, das Fahnen und Wappen schmücken darf. Doch der europäi-
sche Braunbär, nach dem Eisbär das größte Raubtier auf dem Kontinent, gibt in Europa schon lange nicht
mehr den Ton an. Noch vor 300 Jahren waren die pelzigen Tiere in ganz Europa anzutreffen, jetzt ist der
Braunbär in Westeuropa nur noch sehr spärlich beheimatet. Einzelne Populationen sind in den Pyrenäen,
5   in den österreichischen Alpen und im italienischen Apennin anzutreffen. In Deutschland gilt der Braunbär
seit etwa 1835 als ausgestorben. Wesentlich häufiger sind die sanften Räuber im Norden und Osten Europas, meist fern größerer Ansiedlungen sogar in größeren Gruppen anzutreffen. Auch wenn sie oft als Furcht
einflößend dargestellt werden, sind Bären eigentlich scheu. Werden sie allerdings überrascht,
können sie – vor allem in Begleitung von Jungtieren – Menschen gefährlich werden.
10 In Europa trägt neben der Jagd vor allem die Zerstörung des Lebensraumes der Bären zur Ausrottung bei.
In manchen Kulturen gelten Bärentatzen als Delikatesse oder werden der Gesundheit zuliebe verspeist.
Doch es gibt Hoffnungsschimmer: In Österreich gelang es im Rahmen eines mehrjährigen Projekts, die zotteligen Gesellen wieder anzusiedeln – unterstützt von den lokalen Bauern. Nach Angaben des WWF leben
in der Alpenrepublik derzeit rund 30 Bären.

Text C ## Der Problembär entpuppt sich als Schlaubär

Und wieder ist er entwischt: Seit Wochen führt Braunbär „JJ1", von einigen
auch „Bruno" genannt, Behörden und Verfolger an der Nase herum – und
gewinnt immer mehr Sympathien. Im Internet werden Solidaritäts-T-Shirts
angeboten, internationale Medien bis hin zur renommierten „New York Times"
5 verfolgen seine Eskapaden. In deutschsprachigen Zeitungen ist der zweijähri-
ge Streuner aus Italien mit der Vorliebe für alpenländische Ferienorte vielfach
kein „Problembär" mehr, sondern ein „Schlaubär" oder gar „Braunbär Bruno
Superstar". Am Mittwoch entkam er finnischen Bärenjägern und ihren Hun-
den in der Nähe des Achensees in Tirol knapp, gestern ging die Suche weiter.
10 Obwohl der Bär einer Urlauberin aus Hamburg einen gehörigen Schreck ein-
jagte, lassen sich Touristen von dem zotteligen Tier nicht abschrecken.

Text D ## Empörung über Brunos Tod

Mit Bestürzung und scharfer Kritik ist der Abschuss von Braunbär Bruno bei
Natur- und Tierschützern aufgenommen worden. „Das ist die dümmste aller
Lösungen", sagte der Präsident des Deutschen Naturschutzrings. „Ich bin tief-
traurig darüber." Auf internationaler Ebene kämpfe man für den Schutz bedroh-
5 ter Arten, schaffe es aber nicht, mit dem ersten Bären in Deutschland klarzu-
kommen.
Bruno war von drei Jägern in Absprache mit dem bayerischen Umweltministeri-
um gezielt erlegt worden. Der Bär habe sich am Sonntagabend dem Rotwand-
haus am Schliersee genähert und die Bewohner hätten die Polizei alarmiert. Dar-
10 auf sei ein Team von drei Jägern „hochgegangen und hat um 4.50 Uhr den Bären
aus 150 Meter Entfernung mit einem einzigen Schuss schmerzlos erlegt", sagte
der Umweltstaatssekretär.
Aus Sicht des Artenschutzes sei das außerordentlich bedauerlich, aber nach
zwei Wochen intensiver Fangbemühungen der finnischen Experten habe es aus
15 Sicherheitsgründen keine Alternative mehr gegeben. Der Expertenrat des österreichischen Bärenmanagements, der sich um die 20 bis 30 frei lebenden Bären
in Österreich kümmere, „ist ganz eindeutig zu dem Ergebnis gekommen, dass
der Abschuss dieses Bären die einzig richtige Lösung ist", sagte der Tiroler Lan-
desrat Anton Steixner. Das sei ein Sonderling gewesen, der mindestens elf Mal
20 in Siedlungen eingedrungen sei, keine Scheu vor Menschen gezeigt und in wenigen Wochen 35 Schafe gerissen habe.

AB 13 13

GR 3 ## Die Präpositionen *samt, fern, zuliebe*

a Unterstreichen Sie in den Texten A und B diese Präpositionen.
Welchen Kasus haben die Präpositionen?

b Bilden Sie Sätze mit: *Heimat, der Bär Bruno, Geschwister,
Artgenossen, touristische Gebiete, Umwelt, Kleidung, ...*

Beispiel: *Samt seinen Geschwistern und deren Familien unternahm er eine
Wanderung in den österreichischen Alpen.*

AB 14 14

1 Präsentation eines Zeitungsartikels

Suchen Sie aus einer aktuellen Tageszeitung, einer Zeitschrift oder aus dem Internet einen interessanten Artikel, den Sie im Kurs präsentieren wollen.

2 Vorbereitung einer Präsentation

Erstellen Sie anhand der Fragen a–g ein Redemanuskript für Ihre Präsentation.
Schreiben Sie sich die Antworten für jede der Fragen a–g als Stichworte auf ein separates Kärtchen.

a Aus welcher Publikation (Tageszeitung/Zeitschrift/Magazin/Fachzeitschrift) stammt der Artikel?

b Zu welcher Rubrik gehört er?

c Geben Sie eine kurze Zusammenfassung des Inhalts.
Verwenden Sie dabei typische Ausdrucksweisen der Nachrichtensprache.

Beispiele:		
Ausdruck des Referierens	*Wie die 78-jährige Tochter mitteilte, ...*
Verben der Redewiedergabe	*Nach Aussage des Neurologen*
Zitat	*„inneres Joggen"*
Indirekte Rede	*Die Statistik weise aus, dass 21 Prozent der jungen Diebe ihren Namen nicht fehlerfrei schreiben könnten.*
Vergangenheit	*Das haben wissenschaftliche Untersuchungen ergeben.*

d Welche Fragestellung/Problematik wirft der Artikel auf?

e Welche eigenen Erfahrungen haben Sie damit?

f Nennen Sie Argumente für und gegen die dargestellte Meinung.

g Wie ist Ihre eigene Meinung?

3 Wortschatz

Suchen Sie fünf bis acht für Sie neue und wichtige Wörter heraus, die Sie in Ihren Lernwortschatz aufnehmen wollen, und erklären Sie diese.

P 4 Präsentation des Artikels

a Bringen Sie die Publikation möglichst mit und zeigen Sie Ihren Zuhörern etwas, z.B. ein Foto.

b Benutzen Sie die vorbereiteten Kärtchen der Reihe nach nur als „Stütze".
Versuchen Sie, möglichst frei zu sprechen.

AB 14 15

HÖREN

<u>1</u> Fernsehen

a Welche Art von Sendung sehen Sie gerne?

Nachrichten – Dokumentarfilme – Fernsehfilme – Komödien –
Kriminalfilme/Krimis – Reportagen – Spielfilme – Thriller –
Zeichentrickfilme/Comics

b Wie oft sehen Sie fern? Wie lange? Zu welcher Tageszeit?

c Wie informieren Sie sich über das Fernsehprogramm?
☐ durch andere Leute ☐ durch das Fernsehen ☐ durch das Radio
☐ durch eine Fernsehzeitschrift ☐ durch eine Tageszeitung

<u>2</u> Hören Sie Radiotipps für den Fernsehabend.

CD|1–4 **a** Wie werden die vier Spielfilme charakterisiert?

b Ordnen Sie die „Untertitel" den vier Filmen zu:
Psychogramm eines Serienmörders – kunstvoller Film über den Balkan –
exotisches Melodrama – Drama über den DDR-Terror

Spielfilm	eher witzig/ironisch	eher ernst	Untertitel
Das Leben der Anderen			
Der Blick des Odysseus			
Die weiße Massai			
Der Totmacher			

<u>3</u> Selektiv Informationen entnehmen

CD|1–4 Lesen Sie zuerst die Stichworte unten. Hören Sie dann die Texte noch
einmal. Notieren Sie während des Hörens, welche Informationen der
Radiojournalist zu den einzelnen Sendungen gibt.

Titel	Das Leben der Anderen	Der Blick des Odysseus	Die weiße Massai	Der Tot-macher
Regisseur	Henckel von Donnersmarck	Angelopoulos	Hunthgeburth	Karmakar
Sender				
Zeit				
Ort der Handlung				
Urteil*				

* sehr positiv – positiv – negativ – teils positiv/teils negativ – kein Urteil

<u>4</u> Merkmale von Fernsehtipps

a Welche der folgenden typischen Merkmale einer Nachricht finden Sie auch
bei den Fernsehtipps? Kreuzen Sie an.
☐ Angaben: z.B. Orts- und Herkunftsangaben ☐ Quellenangaben
☐ Ausdrücke des Referierens ☐ Verben der Redewiedergabe
☐ unpersönliche Ausdrucksweise ☐ Zitate

b Was finden Sie bei den Fernsehtipps außerdem noch?

AB 15 16

_1_ Präpositionale Ausdrücke zur Einleitung einer Redewiedergabe

Präposition + Dativ		
vorangestellt	nachgestellt	Beispiel
laut		*laut einem Bericht des Polizeisprechers*
gemäß	gemäß	*gemäß unserer Vereinbarung / seinem Wesen gemäß*
nach	nach	*nach eigenen Angaben / seiner Ansicht nach*
	zufolge	*dem Bericht zufolge*

weitere vorangestellte Präpositionen:
aus Liebe, rot vor Wut, fern größerer Ansiedlungen, samt ihrer Jungen;
weitere nachgestellte: *der Gesundheit zuliebe*

_2_ Variation: Präposition oder Nebensatz mit „wie"

Präposition	Nebensatz mit „wie"
Laut einem Bericht der Polizei sind die jugendlichen Täter häufig lernschwach.	*Wie die Polizei berichtete, sind die jugendlichen Täter häufig lernschwach.*
Gemäß einer Vereinbarung muss die Versicherung zahlen, falls es schneit.	*Wie vereinbart wurde, muss die Versicherung zahlen, falls es schneit.*

_3_ Formen der Redewiedergabe

ÜG S. 128

ⓐ Direkte Rede: gekennzeichnet durch einen Doppelpunkt und Anführungszeichen.
Man verwendet den Indikativ.

ⓑ Indirekte Rede: gekennzeichnet durch eine Einleitung, z.B. *Sie meinte ...*
Man verwendet den Konjunktiv I bei
- der 3. Person Singular. Beispiele: *er habe, sie gehe*
- Modalverben in der 1. und 3. Person Singular. Beispiele: *ich/er könne, ich/sie müsse*
- dem Verb *sein*. Beispiele: *ich/es sei, du seiest, wir/sie seien*

Sonst wird der Konjunktiv II verwendet.

Direkte Rede	Indirekte Rede
„Sie meinte immer, arbeiten bringt niemanden um", sagte ihre Tochter.	*Sie habe immer gemeint, arbeiten bringe niemanden um, sagte ihre Tochter.*
Die Londoner Polizei stellte fest: „Die Statistik weist aus, dass 21 Prozent der jungen Diebe ihren Namen nicht fehlerfrei schreiben können."	*Die Statistik weise aus, dass 21 Prozent der jungen Diebe ihren Namen nicht fehlerfrei schreiben könnten.*

_4_ Gebrauch des Konjunktivs I

ⓐ Wird in der Schriftsprache eingesetzt,
- wenn man die Worte oder die Meinung anderer indirekt zitiert; wird vor allem in den Medien verwendet, z.B. in Nachrichten, Berichten usw.
  Beispiel: *Er könne keine Garantie dafür abgeben, dass seine Liebe für Eva das ganze Leben halte, erklärte der 41 Jahre alte Bräutigam.*
- wenn man sich vom Gesagten distanzieren will.
  Beispiel: *Der Chirurg behauptete, seiner Patientin gehe es heute blendend.*
  (Aber wir können das nicht glauben.)

ⓑ In der **gesprochenen** (Umgangs-)Sprache vermeidet man den Konjunktiv I und verwendet stattdessen häufig einen Nebensatz im Indikativ.
Beispiel: *Der Chirurg hat behauptet, dass es seiner Patientin heute blendend geht.*

1 In welcher Situation befindet sich Ihrer Meinung nach die
abgebildete Person?

Entweder hat die Frau ein Problem mit ... oder sie ...
Möglicherweise braucht sie ..., hat aber weder ... noch ...
Es könnte sich bei der Person sowohl um ... handeln
als auch um ...

2 An wen könnte sie sich wenden?

Die Frau findet eventuell Hilfe bei ...
Ich würde ihr empfehlen, zu einer/einem ... zu gehen.
Wenn ich diese Frau wäre, würde ich bei ... Rat einholen.

1 Monatliche Ausgaben – wofür?

a Nennen Sie sieben bis zehn Dinge, für die Sie jeden Monat einen festen Teil Ihres Einkommens bzw. des Geldes, das Sie zur Verfügung haben, ausgeben.

b Ordnen Sie die Ausgaben der Größe nach.

Am meisten brauche ich jeden Monat für ...
An zweiter Stelle steht ...
Außerdem verwende ich circa ...% meines Einkommens für ...
Ein weiterer Kostenfaktor ist ...
Für ... brauche ich ungefähr ...
Nicht so viel Geld gebe ich für ... aus.
...

2 Schätzen Sie und ordnen Sie zu.

Wofür gibt eine deutsche Durchschnittsfamilie monatlich ihr Geld aus?

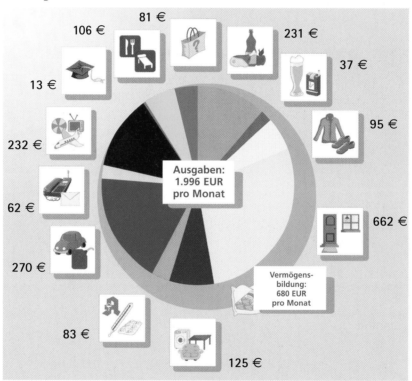

Bekleidung und Schuhe – Bildungswesen – Freizeit, Unterhaltung und Kultur – Gesundheitspflege – Haushaltsausstattung – Nahrungsmittel und alkoholfreie Getränke – Nachrichtenübermittlung (Telefon, E-Mail, ...) – Wohnen und Energie – Unterkunft und Verpflegung auf Reisen – Verkehr – alkoholische Getränke und Zigaretten – andere Waren und Dienstleistungen – Rest, zum Teil für Vermögensbildung und Vorsorge

3 Vergleichen Sie.

Wo stellen Sie Übereinstimmungen fest, wo Unterschiede zu Ihren eigenen Ausgaben bzw. denen Ihrer Landsleute?

AB 20 2

__P 1__ **Lebenshaltungskosten international**

Für eine Recherche zu den Lebenshaltungskosten sollen Sie die Verhältnisse in Ihrem Heimatland mit denen in Deutschland vergleichen. Verfassen Sie dazu einen informativen Text, der beispielsweise in einer Kurszeitung erscheinen kann.
Gehen Sie in folgenden Schritten vor:

Schritt 1 **Sammeln Sie Stichworte**

ⓐ Stellen Sie dar, welche wichtigen Informationen die Grafik auf S. 20 enthält.

ⓑ Welche Kosten erscheinen Ihnen eher hoch, welche eher gering?

ⓒ Welche Gemeinsamkeiten stellen Sie zu den Ausgaben einer Familie in Ihrem Heimatland fest?

ⓓ In welchen Punkten unterscheiden sich die Ausgaben einer Durchschnittsfamilie in Ihrer Heimat stark?

ⓔ Wie aussagekräftig ist für Sie eine solche Statistik?

Schritt 2 **Aufbau und Gliederung**

Überlegen Sie:
Welche Inhaltspunkte stelle ich sinnvoll nacheinander?
Wie verknüpfe ich die einzelnen Informationen und Argumente logisch miteinander?
Wo und mit welchen sprachlichen Mitteln drücke ich meine eigene Meinung aus?

Schritt 3 **Ausformulieren**

Welche Satzanfänge bzw. Redemittel passen zu welcher Frage in Schritt 1?

Redemittel	Frage
Im Vergleich zu ... kann man feststellen, ...	*d*
Aus dem Schaubild geht hervor, ...	
Ähnlich verhält es sich ... bei den Ausgaben/Kosten für ...	
Außerdem ist hier dargestellt, wie ...	
Überrascht hat mich, dass ...	
Meiner Ansicht/Meinung nach ...	
... unterscheiden sich sehr/kaum/nur wenig.	
Einerseits kann man einer Statistik ... entnehmen, andererseits gibt sie keine Auskunft über ...	

Schritt 4 **Verfassen Sie nun Ihren Text.**

Überprüfen Sie am Ende:
Habe ich die Satzanfänge ausreichend variiert und die Sätze sinnvoll miteinander verbunden?
Ist der Wortschatz abwechslungsreich, d.h. gibt es nicht allzu viele Wortwiederholungen?

2

HÖREN 1

__1__ Was macht man auf einer Bank bzw. einer Sparkasse?

Sehen Sie sich folgende Bilder an und erklären Sie, was man mit den abgebildeten Karten bzw. Papieren macht.

__2__ Lesen Sie, was folgende Personen planen bzw. brauchen.

CD | 5–11

Hören Sie dann die Erläuterungen zu verschiedenen Serviceangeboten von Banken einmal ganz. Hören Sie anschließend die einzelnen Punkte noch einmal und ordnen Sie jeder Person einen passenden Service zu. Nicht jeder Service wird hier gebraucht.

Person	Bankservice
1 Fritz Kinder möchte gern einen gebrauchten Wagen für 4 300,– Euro kaufen, den ein Kollege schnell verkaufen will. Auf seinem Girokonto ist derzeit ein Guthaben von 2 100,– Euro.	
2 Lisa, eine 16-jährige Schülerin, hat von ihrer Großmutter 400,– Euro bekommen und möchte diese sicher auf der Bank verwahren und sinnvoll anlegen.	
3 Es ist Feiertag, der U-Bahn-Kiosk ist geschlossen und Frau Stettner braucht dringend einen Fahrschein. Leider hat sie nur große Geldscheine, die der Fahrkarten-Automat nicht annimmt. Gott sei Dank hat sie ...	
4 Martin Buch ist geschieden. Er muss für seine Frau und seine beiden Kinder monatlich eine bestimmte Summe Unterhalt bezahlen.	
5 Herr Fischer kann gut mit dem Computer umgehen und erledigt Überweisungen am liebsten elektronisch von zu Hause aus.	
6 Miriam Schäfer hat nicht gern viel Bargeld bei sich, macht aber häufig ein „Schnäppchen" in einer Boutique oder braucht spontan Geld für einen Discoabend.	
7 Sabine und Holger sind öfter zwei bis drei Wochen verreist und suchen einen möglichst praktischen Weg, ihre Telefonrechnung zu begleichen.	

__3__ Textwiedergabe

AB 20   3

(a) Lesen Sie nun die im Arbeitsbuch (Seite AB 21) abgedruckten Hörtexte. Unterstreichen Sie darin die Hauptaussagen und notieren Sie Schlüsselwörter zu jedem Bankservice.

(b) Setzen Sie sich in Kleingruppen zusammen. Jede/r erklärt mithilfe der Schlüsselwörter eine Serviceleistung, ohne den Oberbegriff zu nennen. Die anderen raten, um welche Leistung es sich handelt.

AB 21   4

__4__ Ihre Meinung

Sprechen Sie in Ihrer Gruppe über die folgenden Fragen.

(a) Welchen Bankservice nehmen Sie häufig oder gelegentlich in Anspruch?

(b) Worauf können Sie verzichten?

... brauche ich wöchentlich/monatlich.
... ist für mich unerlässlich.
... ist ein Service, den die Banken noch ausbauen sollten.
... habe ich noch nie/fast nie in Anspruch genommen.
... benutzt man doch nur für den Fall, dass ...
Auf ... kann ich verzichten. Das ist doch nur ...

AB 22   5

1 Einkaufen und bezahlen per Internet – praktizieren Sie das auch?

a Warum? Warum nicht? – Tauschen Sie sich kurz darüber aus.

b Der „arbeitende Kunde" – was könnte hinter diesem Begriff stecken?

2 Überfliegen Sie den Text und ordnen Sie diese Zwischenüberschriften zu. Eine Überschrift ist zu viel.

Das Ende der Privatheit
~~Der Spartrend greift immer weiter um sich~~
Einkaufen wird immer komplizierter
Gegentrends zu dieser Entwicklung
Konsequenz: Verlust von Arbeitsplätzen
Kosten und Mitarbeiter werden eingespart
Mehr Vorteile für die Banken
Neue Publikation erklärt den Trend

Mitarbeiten fürs Schnäppchen

Im Internet-Auktionshaus Ebay, beim Online-Banking oder Ticket-Kauf: Wer Rabatte will, muss dafür kräftig mitarbeiten. Zwei Wissenschaftler haben über dieses Phänomen jetzt ein Buch geschrieben.

a *Der Spartrend greift immer weiter um sich*

Wer sparen will, kauft Möbel, die er selbst zusammenbaut: Das kennt man schon seit Jahrzehnten, nur dass man in den vergangenen Jahren immer mehr dazu übergegangen ist, diese Möbel mit EC-Karte zu bezahlen statt mit Bargeld. Oder vielleicht direkt per Online-Banking. Bei der Gelegenheit hätte der Kunde dann gleich auch alle Möbel im Internet ansehen und bestellen können. Das spart ihm den Weg – und dem Möbelhaus langfristig Geld für Ausstellungsräume und Verkaufspersonal. Genauso, wie es der Bank die Arbeit erleichtert, wenn der Kunde seine Überweisung selbst eintippt, statt ein Formular am Schalter abzugeben.

b ....

„Der arbeitende Kunde" nennen Günter Voß und Kerstin Rieder dieses Phänomen. Der Soziologieprofessor der Technischen Universität Chemnitz und die Schweizer Psychologin haben ein gleichnamiges Buch herausgebracht. Darin fassen sie ihre Beobachtungen zu jenem zeitgenössischen Wechselspiel von Konsum und indirekter Mitarbeit zusammen.

c ....

„Managerkonzepte empfehlen ausdrücklich, Leistungen an Kunden zu übertragen", so Voß. Mit Wohlwollen beurteilt er dieses Phänomen nicht. Zeit, Kompetenz und adäquate Technik – etwa in Form eines Internetzugangs – seien, was jeder zunehmend mitbringen müsse, um einen an sich banalen Einkauf zu erledigen. Wie praktisch das für beide Seiten auch zu sein scheint, „Teilnahme am Konsum setzt immer mehr voraus", kritisiert Carel Mohn, Pressesprecher des Bundesverbandes der Verbraucherzentralen. Auch schwächere Gruppen müssten berücksichtigt werden.

2

d ....

Unzufrieden ist der Verbraucherschützer damit, dass Unternehmen die
Vorteile der zunehmenden Automatisierung überwiegend für sich behalten,
während sie Nachteile an ihre Kunden weitergeben. „Die Banken haben
auf EC-Karten und Online-Banking umgestellt, weil es für sie günstiger ist.
Für den Verbraucher bringt diese Art des Bezahlens aber nicht nur Vorteile,
es sei denn, dass die Kreditinstitute auch das Haftungsrisiko übernehmen,
wenn Passwörter geknackt werden. Bislang tun sie das jedenfalls nicht!"

e ....

Achim Stauß, Pressesprecher im Bereich Personenverkehr der Deutschen
Bahn AG, betont: Auch Kunden würden profitieren, wenn sie mitarbeiten.
„Wir haben eine Kostenersparnis, die wir an die Kunden weitergeben,
indem wir ihnen im Internet besondere Angebote machen." Die Summe,
die die Bahn jährlich einspart, indem Fahrgäste die von ihnen gewünschten
Dienstleistungen selbst erbringen, scheint zu beeindruckend, als dass er sie
hier beziffern würde.

f ....

Wenn diese Entwicklung auch noch so gewinnbringend für alle Seiten aussieht, muss der Unternehmenssprecher dennoch bestätigen: Durch die Um-
stellung gingen auch Arbeitsplätze verloren. Von 1000 Fahrkartenausgaben
an kleineren und größeren Bahnhöfen sind fast 400 geschlossen worden,
seit sich der Verkauf am Automaten durchgesetzt hat. Von entsprechenden
Trends betroffen sind Banken, Fluggesellschaften, Groß- und Einzelhandel.
„Die Dimensionen sind erheblich", betont der Soziologe Günter Voß.

g ....

Ganz bewusst entscheidet der Verbraucher sich manchmal gegen die höhere
Qualität, wenn er durch aktive Mitarbeit ein preisgünstigeres Ergebnis er-
zielen kann. Günter Voß rechnet langfristig mit Konsequenzen von gesamt-
gesellschaftlicher Bedeutung: „Die Ökonomie zieht in unsere kuschelige
Privatheit ein; wir müssen ihr zuarbeiten. Wenn ich zum Beispiel jeden
Dienstag die neuesten Updates aus dem Internet laden muss, bin ich irgendwann ein Teil von Microsoft."

3 **Welche Vor- und Nachteile entstehen bei dieser „Kundenmitarbeit"?**

	Vorteile	Nachteile
Für den Kunden		
Für die Unternehmen		

GR **4** **Zweiteilige Konnektoren – konditional** GR S. 30

a Suchen Sie im Text die Sätze mit folgenden zweiteiligen Konnektoren:
wie ... auch; wenn ... auch; es sei denn, dass; zu ..., als dass (+ Konj. II)

b Formulieren Sie die Sätze um, indem Sie folgende Konnektoren verwenden:
falls/wenn ... nicht; zwar ..., aber; obwohl; zu ..., um ... zu

Konnektoren	Umformulierung
wie ... auch	
wenn ... auch	
es sei denn, dass	
zu ..., als dass (+ Konj. II)	

AB 23 6

HÖREN 2

__1__ **Sehen Sie sich das Titelblatt der Broschüre an.**

Was macht webshop?

__P 2__
CD | 12
Auskunftsgespräch

Sie hören ein Auskunftsgespräch mit einer Mitarbeiterin von webshop. Lesen Sie die Aufgaben vor dem Hören. Antworten Sie in Stichworten.

webshop
Verkaufe Artikel über ebay für SIE!
ebay™

ⓐ Leistung von webshop: *verkauft Artikel, die man dort hinbringt, übers Internet*

ⓑ Mindestverkaufspreise der Produkte:

_____

ⓒ Weitere Bedingungen für die Annahme von Artikeln bei webshop:

_____

ⓓ Der Anrufer möchte verkaufen: _____

ⓔ webshop übernimmt
– vor dem Verkauf der Ware: _____
– nach dem Verkauf der Ware: _____

ⓕ Bei erfolgreichem Verkauf bekommt webshop: _____

ⓖ Nicht verkaufte Artikel werden vom Kunden _____

_____

ⓗ Öffnungszeiten samstags bis: _____

ⓘ Lage des Ladens: Schleißheimer Straße, Nähe _____

__3__ **Ihre Erfahrungen**

Haben Sie schon einmal über eine ähnliche Organisation etwas verkauft oder gekauft? Waren Sie zufrieden?

__4__
CD | 12
Modalpartikeln in gesprochener Sprache   GR S. 30

Hören Sie das Gespräch noch einmal und achten Sie auf die Modalpartikeln.

ⓐ Welche kommen in Fragen vor?
denn, _____

ⓑ Welche haben Sie in den Antworten gehört?
einfach, _____

ⓒ Welche gibt es sowohl in Frage- als auch in Aussage- oder Aufforderungssätzen?
mal, _____

AB 23 7–9

__5__ **Ein Telefongespräch**

Simulieren Sie zu zweit ein Telefongespräch.
Empfehlen Sie webshop und begründen Sie Ihre Empfehlung.
Ihre Partnerin / Ihr Partner stellt Rückfragen.
Versuchen Sie, möglichst viele Modalpartikeln zu verwenden.

___1___ Mitfahrzentrale – Mitwohnzentrale

   ⓐ Was stellen Sie sich unter diesen Begriffen vor?

   ⓑ Was würden Sie gern in einem Ratgeber über Mitwohnzentralen erfahren?
Notieren Sie Fragen.

___2___ Lesen Sie einen Artikel über Mitwohnzentralen aus einem „Finanzratgeber".

   ⓐ Überprüfen Sie, ob Ihre Fragen beantwortet werden.

   ⓑ Welche Informationen und Tipps sind für Sie völlig neu?

Weit weg und doch zu Hause

Wer für längere Zeit in eine fremde Stadt muss, will sich dort wohlfühlen.
Meist können das selbst noble Hotels nicht bieten. Die Lösung heißt Mitwohnen.

Hotelzimmer sehen überall auf der Welt gleich aus. Wer öfter unterwegs ist, kann das bestätigen. Auch wenn sich große und kleine
5 Hotels noch so viel Mühe geben, Reisende, die länger in einer Stadt leben müssen, sehnen sich spätestens nach einer Woche nach mehr als 24 Quadratmeter funktionalem Wohnraum mit
10 Nasszelle.
Wie gut, dass es Menschen gibt, die eine Wohnung zu viel haben. Die Geschäftsfrau zum Beispiel, die beruflich für ein Jahr nach London muss,
15 oder das Paar, das endlich zusammenziehen, aber für eine überschaubare Zeit noch zwei Wohnungen behalten will. Und dann gibt es da noch die neue Wohnung, in die man unbedingt einziehen will, obwohl der Mietvertrag für die
20 alte noch drei Monate läuft.

Nichts ist unmöglich
Die Lösung heißt sowohl für die einen als auch für die anderen: Mitwohnzentrale.
25 In den letzten zehn Jahren sind diese Agenturen wie Pilze aus dem Boden geschossen. In fast jeder größeren Stadt bieten sie ihre Dienste an. „Egal, ob Anbieter oder Wohnungssuchender, wir kümmern uns um jeden",
30 sagt Thomas Kühn, zweiter Vorsitzender der *Arbeitsgemeinschaft Mitwohnbüro e. V.* in Hannover und selbst Inhaber einer Agentur. „Wir bieten Häuser,
35 Wohnungen, Apartments, Wohngemeinschafts- und Untermietzimmer. Dabei reicht der Mietzeitraum von einer Über-

nachtung bis zum unbefristeten Mietvertrag." Wer eine Bleibe sucht,
40 bekommt bei Kühn meist das geboten, was er per Fragebogen als Wunsch angegeben hat. Der große Vorteil: Durch die Zugehörigkeit zur Arbeitsgemeinschaft kann Kühn nicht nur in
45 Hannover, sondern auch in anderen Städten Mitwohngelegenheiten vermitteln.
Zwei bis vier Wochen brauchen die Mitwohnzentralen in den meisten Fällen,
50 um dem Suchenden ein paar konkrete Angebote zu vermitteln. „Eine schnellere Vermittlung hat natürlich mit Glück zu tun", sagt Eberhard Brodde von der großen Hamburger Mitwohnzentrale
55 *Wencke und Partner*. „Wer für einen längeren Zeitraum mieten will, sollte sich einen Monat vor dem gewünschten Termin bei uns melden. Mietverhältnisse von zwei bis drei Monaten
60 können wir auch schon mal innerhalb einer Woche vermitteln." Auch die Hamburger sehen es lieber, wenn sich ihre Kunden mit ganz konkreten Vorstellungen an sie wenden. Je nach

65 Mietdauer werden dabei zwischen 25 und 150 Prozent einer Monatsmiete als Provision fällig.

Von preiswert bis teuer
So unterschiedlich die Angebote, so
70 verschieden sind auch die Mieten. Meist nennt der Anbieter den Preis, den er sich für seine vier Wände vorstellt. Ob dieser erzielbar ist, regelt der Markt. Die zukünftigen Mieter erhalten ohne-
75 hin mehrere Adressen und können dann entweder Hütte oder Palast wählen. Je komfortabler und exklusiver eine Wohnung ausgestattet ist, desto höher liegen die Mietpreise über dem Durch-
80 schnitt. Eine Zwei-Zimmer-Penthouse-Wohnung mit großer Dachterrasse, Fax, Telefon, teurer Einrichtung, Schwimmbad und Sauna im Haus sowie einer Garage kostet doppelt so viel wie eine
85 normal ausgestattete Wohnung in dieser Größe. Angst, auf solchen Angeboten sitzen zu bleiben, kennen weder Kühn noch Brodde. Mitwohnzentralen entwickeln sich immer mehr zum An-
90 laufpunkt für Firmen, Künstleragenturen oder Fernsehgesellschaften, die ihre Mitarbeiter für die Zeit ihres Einsatzes angemessen beherbergen wollen.

Mit Unterschrift und Vertrag
95 Wichtige Fragen des Vertrages müssen zwischen beiden Partnern geklärt werden. Das betrifft vor allem das Problem der Untermiet-Erlaubnis. Wer seine Wohnung zur Verfügung stellt, wird gleich
100 im ersten Gespräch danach gefragt.

2

Auch in der Frage des Versicherungsschutzes hat die Hamburger Mitwohnzentrale eine Möglichkeit gefunden, unangenehmen Situationen aus dem 105 Weg zu gehen. Wer länger als sechs Monate mietet, kann für einen Jahresbeitrag von 50 Euro eine spezielle Haftpflichtpolice abschließen. Das ist wichtig, da bei Schäden, die der Mieter auf 110 Zeit anrichtet, dessen private Haftpflicht nicht einspringt. Absprachen zwischen Vermieter und Mieter sollten auf jeden Fall schriftlich festgehalten werden. Die meisten Mitwohnzentralen legen zwar 115 ihren Kunden ohnehin Mietverträge vor, die fast alle wichtigen Regelungen von Mietpreis und Nebenkosten bis zu den Kosten für das Telefon enthalten, aber weitere Kleinigkeiten sollten darüber 120 hinaus geregelt werden. Die Pflege der Grünpflanzen zum Beispiel, die man seinem Mieter als Pflicht auferlegen kann. Damit auch der Gummibaum vom Untermieter profitiert.

3 Fragen zum Text

Lesen Sie den Text noch einmal und beantworten Sie die Fragen in Stichworten.

Frage	Antwort
a Wer sollte sich an Mitwohnzentralen wenden?	z.B. Reisende, die länger in einer Stadt sind
b Was vermitteln diese Agenturen?	
c Wie lange ist die minimale Mietdauer?	
d Wie hoch sind die Vermittlungskosten?	
e Wer bestimmt den Mietpreis?	
f Was ist vor der Vermietung zu klären?	
g Was sollte im Mietvertrag festgehalten werden?	

4 Was meinen Sie?

Unterhalten Sie sich in Kleingruppen.

a Würden Sie über eine Mitwohnzentrale eine Wohnmöglichkeit suchen? Warum (nicht)?

b Würden Sie für die Dauer einer längeren Reise Ihre Wohnung vermieten? Warum (nicht)? AB 24 10

GR 5 Zweiteilige Konnektoren

GR S. 30

Suchen Sie im Text Beispiele für die Verwendung der Konnektoren und tragen Sie sie in die Übersicht ein.

additiv	negativ	alternativ	adversativ (Gegensatz)	komparativ (Steigerung)
sowohl – als auch				

GR 6 Verbinden Sie die folgenden Sätze mithilfe der Konnektoren aus der Übersicht.

Beispiel: Sie hat keine Freunde und auch keine Bekannten in der Stadt.
Sie hat weder Freunde noch Bekannte in der Stadt.

a Vera fühlt sich in der Wohnung wohl. Sie hat auch schon nette Nachbarn kennengelernt.

b Sie kann ein Zimmer mieten. Sie kann aber auch die ganze Wohnung nehmen.

c Wenn sie länger in der Wohnung bleibt, werden die Kosten pro Monat billiger.

d Sie fährt mit dem Bus ins Büro. Manchmal nimmt sie auch die U-Bahn.

e Das Leben in der Großstadt ist anstrengend. Vera findet es jedoch sehr spannend. AB 25 11

P 1 Briefe in die Heimat

Gloria S. aus Zürich arbeitet bei einer Schweizer Bank und muss aus beruflichen Gründen einige Monate nach Deutschland. Dort hat sie eine Wohnung über eine Mitwohnzentrale gefunden. Sie schreibt nun einen Brief an einen Freund in ihrem Heimatort und einen zweiten an ihre Kollegin in der Bank, die ihr die Mitwohnzentrale empfohlen hat.
Ergänzen Sie die Lücken 1 bis 10 im zweiten Brief und verwenden Sie dazu die Informationen aus dem ersten Brief.

2

Lieber Markus,

Du weisst* ja, dass ich hier in Hamburg nicht die ganze Zeit in einem unpersönlichen Hotel bleiben wollte, sondern lieber privat wohne. Also habe ich über eine Mitwohnzentrale eine kleine Zweizimmerwohnung gesucht und gefunden.

Die Wohnung ist urgemütlich eingerichtet und liegt in einem „jungen" Stadtviertel mit vielen tollen Kneipen. Manchmal ist es nachts auf der Strasse* zwar auch ein bisschen laut, aber man kann ja nicht alles haben.

Stell Dir vor, ich leb' hier tatsächlich mit mehreren Haustieren zusammen: 15 Fische und ein Kanarienvogel, der mich jeden Morgen mit seinem Geträller weckt. Eigentlich ist das ja ganz lustig, ich darf nur nicht vergessen, sie zu füttern und sauber zu machen.

Insgesamt finde ich, dass das Experiment „Mitwohnen" toll und spannend ist, und kann nur sagen: Probier's doch auch mal, wenn Du länger unterwegs bist.

Bis bald
Deine Gloria

---

(1) .... Frau Köhler,

Ihr Hinweis auf die Mitwohnzentrale hat mir wirklich weitergeholfen. Nochmals (2) ..vielen... Dank! Ich wohne jetzt in einer hübschen Zweizimmerwohnung und fühle mich sehr wohl.

Die Wohnungseinrichtung ist sehr gemütlich. Auch die (3) .... der Wohnung entspricht meinen Vorstellungen. Es gibt unzählige Möglichkeiten am Abend (4) ...., allerdings wird man bei offenem Fenster gelegentlich in seiner Nachtruhe (5) .... Doch das nehme ich gern in Kauf.
Der (6) .... der Wohnung hat mir seine Haustiere in Pflege gegeben. Es handelt sich um 15 Fische und einen Kanarienvogel. Ich finde diesen kleinen Zoo sehr amüsant. Meine (7) .... ist es, die Tiere zu versorgen.

Alles in allem ist dieser Mitwohnaufenthalt eine interessante (8) ...., die ich nur jedem (9) .... kann.

Herzliche (10) ....

Ihre
Gloria Sicora

---

* Diese Schreibweise gilt in der Schweiz; in Deutschland und Österreich: „weißt" und „Straße"

AB 25   12

_1_ **Was ist eine WG bzw. Wohngemeinschaft?**

Haben Sie eigene Erfahrungen damit? Wenn ja, welche?

_2_ **Worum geht es hier?**

Es ist meist die alte Leier. Zeitungen, Schwarze Bretter, Internetplatt-
formen: Alles Denkbare wird täglich durchforstet auf der Suche nach der
passenden WG. Wochenlang stürzt der Suchende von Wohnung
zu Wohnung. Kennenlernen der zukünftigen Mitbewohner in zehn Minuten
im Hausflur. Monate später kommt oft der große Krach, die Chemie
stimmt nicht, das Aus für das gemeinschaftliche Wohnen.
Dem Trend aus Paris folgend, soll _WG-Party_ die etwas andere Wohnungssu-
che sein und bietet in lockerer Partyatmosphäre Zeit und Raum zum
Kennenlernen, Gespräche führen und natürlich: Spaß haben!
Das Prinzip ist einfach: An der Farbe des Aufklebers, den jeder am Körper
trägt, ist erkennbar, wer suchend ist und wer etwas zu bieten hat. Darauf
steht eine Nummer, die für Aushänge mit personenbezogenen Angaben
an einem Infobrett dienlich ist. Alles andere passiert ganz von selbst.

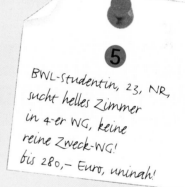

5
BWL-Studentin, 23, NR,
sucht helles Zimmer
in 4-er WG, keine
reine Zweck-WG!
bis 280,- Euro, uninah!

_3_ **Angebot und Nachfrage**

ⓐ Die Klasse teilt sich in Zimmersuchende und Zimmerbietende.
Zimmersuchende bekommen einen roten Aufkleber, Zimmerbietende
einen grünen.

ⓑ Formulieren Sie einen Aushang für das Infobrett, auf dem die folgenden
Informationen zu finden sind:

Zimmersuchende	Zimmerbietende/Vermieter
Name – Beschäftigung – Alter – besondere Wünsche und Eigenschaften – Zimmergröße – Preisvorstellung – Lage	Name – Informationen über Zimmergröße – Preis – Lage – Anzahl der WG-Mitglieder – eventuell Kurzinfo zu WG-Mitgliedern – Wünsche an neuen Mitbewohner

_4_ **Verhandlung: Zimmerpreis**

Zimmersuchende: Beginnen Sie ein Gespräch mit einer Person mit
einem grünen Aufkleber. Holen Sie auch Informationen vom Infobrett
ein. Versuchen Sie, einen günstigeren Mietpreis auszuhandeln, überlegen Sie sich dafür Argumente (_Zimmer dunkel, laut, ... Vergleich mit
anderen_). Suchen Sie so lange, bis Sie etwas Geeignetes gefunden
haben. Sie können natürlich auch (kleine) Kompromisse machen.

ÜG S. 168 ff.

1 Zweiteilige Konnektoren

Bedeutung	Konnektor	Beispiel
additiv	sowohl – als auch	*Die Lösung heißt sowohl für die einen als auch für die anderen: Mitwohnzentrale.*
	nicht nur – sondern auch	*Kühn kann nicht nur in Hannover, sondern auch in anderen Städten Wohnungen vermitteln.*
negativ	weder – noch	*Angst … kennt weder Vermittler Kühn noch sein Konkurrent Brodde.*
alternativ	entweder – oder	*Die Mieter können entweder Hütte oder Palast wählen.*
komparativ	je – desto	*Je komfortabler eine Wohnung ist, desto höher ist der Mietpreis.*
konzessiv	wenn … auch, (so) doch	*Wenn die Entwicklung auch noch so gewinnbringend aussieht, (so) zahlt man doch einen hohen Preis dafür.*
	wie … auch, … doch	*Wie praktisch der Einkauf per Internet für beide Seiten auch scheint, er hat doch einige Nachteile.*
	es sei denn, dass	*Frau Becker kann sich dieses Jahr keinen Urlaub leisten, es sei denn, dass sie im Lotto gewinnt.*
adversativ	zwar – aber	*Kleine Schäden lassen sich zwar regulieren, aber eine Versicherung ist trotzdem sinnvoll.*
irreal	zu …, um zu	*Manche Kunden sind zu ängstlich, um per Internet zu bestellen.*
konsekutiv	zu …, als dass	*Manchen Kunden ist der direkte Kontakt mit dem Verkäufer zu wichtig, als dass sie per Internet bestellen würden.*

2 Modalpartikeln

ÜG S. 74

Besonders in der gesprochenen Sprache: Ausdruck einer bestimmten Absicht oder emotionalen Färbung des Gesagten.

Modalpartikel	Beispiel	Satzart	Bedeutung
aber	*Das ist aber praktisch!*	Ausrufesatz	Überraschung
eben	*Dann versuchen wir es eben noch einmal.*	Aussagesatz	Schlussfolgerung, oft mit resignativem Unterton
einfach	*Sie geben mir einfach eine genaue Beschreibung.*	Aussagesatz	Lösungsvorschlag
ja	*Somit lohnt sich ja der Anruf nicht. Erzähl ihr ja nichts davon!*	Aussagesatz Ausrufesatz	unbetont: Hinweis auf etwas schon Bekanntes; betont: Warnung, Drohung
ruhig	*Sie können ruhig noch darüber nachdenken.*	Aussagesatz	niemand ist dagegen, freundliche Aufforderung
vielleicht	*Könnten Sie mir vielleicht eine Infobroschüre schicken?* *Die Verkäufer hier sind vielleicht unfreundlich!*	Ja-/Nein-Frage Ausrufesatz	hat den Charakter einer höflichen Aufforderung; drückt Verärgerung oder (meist negatives) Erstaunen aus
mal	*Kannst du mal helfen?* *Komm doch mal her!*	Frage Aufforderung	verbindlich-höfliche Routine-Aufforderung
eigentlich	*Wer ist das eigentlich?*	Fragesatz	großes Interesse, Überraschung
denn	*Was für Artikel können das denn sein?* *Bist du denn wahnsinnig?*	Fragesatz	bekundet Interesse; entsetzter Vorwurf
doch	*Gehen wir doch hin!* *Das hättest du mir doch sagen können!*	Aufforderung Ausrufesatz	freundliche Aufforderung freundlicher Vorwurf

3

1   **Um welches Thema geht es wohl bei den beiden Fotos?**   AB 30 **2**

2   **Kurzvortrag**

a Setzen Sie sich zu dritt zusammen und sammeln Sie Stichworte zu folgender Frage:
Ist das Fernsehen der größte Konkurrent des Lesens oder kann Fernsehen die Lust am Lesen sogar fördern?

b Sprechen Sie in der Gruppe möglichst ausführlich und berücksichtigen Sie die verschiedenen Sichtweisen. Formulieren Sie nun in der Gruppe ein Statement.

c Tragen Sie das Statement im Plenum vor.   AB 30 **3**

3   **Literatur lesen**

a Welche Art von Büchern lesen Sie persönlich gerne?
Bestseller – Comics – Klassiker – Krimis – Sachbücher – Vorlagen zu Verfilmungen – Weltliteratur – ...

b Welche haben Sie auf Deutsch schon gelesen?
Welche würden Sie gerne lesen?

c Was verstehen Sie unter „guter Literatur"?

1 Auswahl eines Hörbuchs

a Wählen Sie in einer Bibliothek, einem Buchladen oder im Internet ein Hörbuch aus, das Sie im Kurs als „Empfehlung" präsentieren wollen.

b Ordnen Sie dazu folgende Auswahlkriterien:

1	Von wem?	zusätzliches Material
2	Was für ein Text?	Inhalt
3	Was noch?	Preis
4	Wovon handelt es?	Quelle
5	Wie gesprochen?	Spieldauer
6	Wie lang?	sprachliche Vorkenntnisse?
7	Wie teuer?	Sprecher
8	Wie verständlich?	Textsorte
9	Woher?	Thema
10	Was wird erzählt?	Autor

2 Lesen Sie folgende Besprechung.

Wo finden Sie die Information?
Tragen Sie die Zahlen aus Aufgabe 1 in die Kästchen ein.

Im Internet findet sich als kostenfreies Download eine Erzählung des berühmten deutschen Ornithologen (Vogelkundlers) Alfred Brehm (www.vorlesen.net/html/brehm.html). ☐ ☐ ☐

Seine Erzählung trägt den Titel „Die Katze, das unbekannte Wesen". ☐ ☐ Brehm erzählt
5 von einer Katze namens Riese. Er beobachtet an ihr die besonders große Mutterliebe von Katzen. Die ziehen nicht nur die eigenen Jungen auf, sondern wenn nötig auch die von fremden Müttern. ☐
Die Sprache der Erzählung ist ein wenig altertümlich, was daher kommt, dass der Text im neunzehnten Jahrhundert geschrieben wurde. Manche Wörter werden heute nicht mehr
10 gebraucht. ☐ Hier ein Beispiel: „Riese war Mutter geworden und pflegte zwei reizende Kinderchen. Da widerfuhr ihr das Unglück, eingefangen und von den noch unbehilflichen Kleinen getrennt zu werden. Ich konnte die Kätzchen unmöglich umkommen lassen und sann auf Rettung. In der Nachbarschaft hatte ebenfalls eine Katze geworfen, war aber ihrer Jungen beraubt worden. Sie wurde als Pflegemutter gewonnen."
15 Dafür ist der Text deutlich gesprochen, sodass man der Erzählung ohne Schwierigkeiten folgen kann. Gut finde ich auch, dass es eine Druckversion von der Aufnahme gibt. So kann man den Text nicht nur hören, sondern auch lesen. ☐ Wenn man eine bestimmte Stelle nicht richtig verstanden hat, ist das eine Hilfe. Außerdem gibt es auf der Website Informationen zum Autor. Alfred Brehm (1829–1884) war Direktor des Hamburger Zoolo-
20 gischen Gartens und ist im deutschsprachigen Raum bekannt für sein mehrbändiges Stan-
dardwerk *Brehms Tierleben*. ☐
Empfehlenswert ist diese Höraufnahme für fortgeschrittene Deutschlernende. ☐

Bewertung: +++ hörenswert

(++++ sehr hörenswert / +++ hörenswert /++ eher nicht hörenswert / + uninteressant)

AB 30 4–5

3 Empfehlungsliste: Die besten Hörbücher

Verfassen Sie eine Hörbuch-Empfehlung nach dem Muster in Aufgabe 2.

4 Präsentieren Sie das Hörbuch im Kurs.

1 Das Leben älterer Menschen

a Erzählen Sie, wie Ihre Großmutter gewöhnlich den Tag verbringt bzw. verbrachte.

b Haben ältere Menschen Ihrer Meinung nach Pflichten gegenüber ihrer Familie oder der Gesellschaft? Wenn ja, welche?

c Die „Würde des Alters": Was verstehen Sie darunter?

Die unwürdige Greisin | Bertolt Brecht

Meine Großmutter war zweiundsiebzig Jahre alt, als mein Großvater starb. Er hatte eine kleine Lithographieanstalt[1] in einem badischen Städtchen und arbeitete darin mit zwei, drei Gehilfen[2] bis zu seinem
5 Tod. Meine Großmutter besorgte ohne Magd den Haushalt, betreute das alte, wackelige[3] Haus und kochte für die Mannsleute und Kinder. Sie war eine kleine magere Frau mit lebhaften Eidechsenaugen, aber langsamer Sprechweise. Mit recht kärglichen[4] Mitteln hatte
10 sie fünf Kinder großgezogen – von den sieben, die sie geboren hatte. Davon war sie mit den Jahren kleiner geworden. Von den Kindern gingen die zwei Mädchen nach Amerika, und zwei der Söhne zogen ebenfalls weg. Nur der Jüngste, der eine schwache Gesundheit
15 hatte, blieb im Städtchen. Er wurde Buchdrucker und legte sich eine viel zu große Familie zu.
So war sie allein im Haus, als mein Großvater gestorben war.

Die Kinder schrieben sich Briefe über das Pro-
20 blem, was mit ihr zu geschehen hätte. Einer konnte ihr bei sich ein Heim anbieten, und der Buchdrucker wollte mit den Seinen zu ihr ins Haus ziehen. Aber die Greisin verhielt sich abweisend zu den Vorschlägen und wollte nur von jedem ihrer Kinder, das
25 dazu imstande war, eine kleine geldliche Unterstützung annehmen. Die Lithographieanstalt, längst veraltet, brachte fast nichts beim Verkauf, und es waren auch Schulden da.
Die Kinder schrieben ihr, sie könne doch nicht ganz
30 allein leben, aber als sie darauf überhaupt nicht einging, gaben sie nach und schickten ihr monatlich ein bißchen Geld. Schließlich, dachten sie, war ja der Buchdrucker im Städtchen geblieben.
Der Buchdrucker übernahm es auch, seinen Geschwi-
35 stern mitunter[5] über die Mutter zu berichten. Seine Briefe an meinen Vater und was dieser bei einem Besuch und nach dem Begräbnis meiner Großmutter zwei Jahre später erfuhr, geben mir ein Bild von dem, was in diesen zwei Jahren geschah.

2 Lesen Sie den Titel und den ersten Absatz der Erzählung.

a Wie wird die Großmutter beschrieben?

b Was erfährt man über ihre Lebensumstände?

c Wer gehört zu ihrer Familie?

d Was weiß man über die Wohnorte der Familienmitglieder?

3 Spekulation

a Was wird nun passieren?

b Wie wird sich wohl das Verhältnis der Kinder zu ihrer Mutter entwickeln?

Vermutlich werden die Kinder nun ...
Die Großmutter könnte aber auch ...
Möglicherweise haben sie mehr/
weniger ...

4 Lesen Sie weiter bis Zeile 54.

a Schildern Sie
■ die Pläne der Kinder,
■ die Reaktion der Großmutter.

b Wie erfuhr der Erzähler von den Ereignissen nach dem Tod des Großvaters?

c Charakterisieren Sie kurz den Buchdrucker, seine Familie und seine Lebensumstände.

d Beschreiben Sie das Verhältnis des Buchdruckers zu seiner Mutter, der Großmutter des Erzählers. Nennen Sie Textstellen.
Beispiel: Zeile 40, *Es scheint, daß der Buchdrucker von Anfang an enttäuscht war ...*

[1] die Lithographie	grafische Technik zur Vervielfältigung einer Zeichnung
die Anstalt	hier: altes Wort für Unternehmen, Firma
[2] der Gehilfe	altes Wort für Helfer, Mitarbeiter
[3] wackelig	instabil, nicht fest gebaut
[4] kärglich	hier: einfach, sparsam
[5] mitunter	manchmal, von Zeit zu Zeit

40 Es scheint, daß der Buchdrucker von Anfang an enttäuscht war, daß meine Großmutter sich weigerte, ihn
in das ziemlich große und nun leerstehende Haus auf-
zunehmen. Er wohnte mit vier Kindern in drei Zim-
mern. Aber die Greisin hielt überhaupt nur eine lose
45 Verbindung mit ihm aufrecht. Sie lud die Kinder jeden
Sonntagnachmittag zum Kaffee, das war eigentlich
alles.
Sie besuchte ihren Sohn ein- oder zweimal im Viertel-
jahr und half der Schwiegertochter beim Beereinen-
50 kochen[1]. Die junge Frau entnahm einigen ihrer Äußerungen, daß es ihr in der kleinen Wohnung des Buchdruckers zu eng war. Dieser konnte sich nicht enthalten, in seinem Bericht darüber ein Ausrufezeichen
anzubringen.

55 Auf eine schriftliche Anfrage meines Vaters, was
die alte Frau denn jetzt so mache, antwortete er
ziemlich kurz, sie besuche das Kino.
Man muß verstehen, daß das nichts Gewöhnliches war,
jedenfalls nicht in den Augen ihrer Kinder. Das Kino
60 war vor dreißig Jahren noch nicht, wie es heute ist. Es
handelte sich um elende, schlecht gelüftete Lokale, oft
in alten Kegelbahnen[2] eingerichtet, mit schreienden
Plakaten vor dem Eingang, auf denen Morde und
Tragödien der Leidenschaft angezeigt waren. Eigent-
65 lich gingen nur Halbwüchsige[3] hin oder, des Dunkels
wegen, Liebespaare. Eine einzelne alte Frau mußte
dort sicher auffallen.
Und so war noch eine andere Seite des Kinobesuchs zu
bedenken. Der Eintritt war gewiß billig, da aber das
70 Vergnügen ungefähr unter den Schleckereien[4] rangier-
te, bedeutete es „hinausgeworfenes Geld". Und Geld
hinauszuwerfen, war nicht respektabel.
Dazu kam, daß meine Großmutter nicht nur mit
ihrem Sohn am Ort keinen regelmäßigen Verkehr
75 pflegte, sondern auch sonst niemanden von ihren
Bekannten besuchte oder einlud. Sie ging niemals zu
den Kaffeegesellschaften des Städtchens. Dafür besuchte sie häufig die Werkstatt eines Flickschusters[5] in
einem armen und sogar etwas verrufenen Gäßchen, in
80 der, besonders nachmittags, allerlei nicht besonders
respektable Existenzen herumsaßen, stellungslose
Kellnerinnen und Handwerksburschen. Der Flickschuster war ein Mann in mittleren Jahren, der in der
ganzen Welt herumgekommen war, ohne es zu etwas
85 gebracht zu haben. Es hieß auch, daß er trank. Es war
jedenfalls kein Verkehr für meine Großmutter.
Der Buchdrucker deutete in einem Brief an, daß er
seine Mutter darauf hingewiesen, aber einen recht
kühlen Bescheid bekommen habe. „Er hat etwas gese-
90 hen", war ihre Antwort, und das Gespräch war damit

5 Spekulation

ⓐ Wie geht die Geschichte weiter?

ⓑ Welche Probleme sehen Sie voraus?

6 Lesen Sie weiter bis Zeile 99.

ⓐ Welche neue Beschäftigung hatte die
Großmutter gefunden?

ⓑ Wie sehen die Kinder ihre Beschäftigung?
Welche Textstellen geben diese Einschät-
zung wieder?

ⓒ Mit welchen Leuten verkehrte die Großmutter zu dieser Zeit? Wen traf sie seltener?

ⓓ Was wird von ihren Kindern als „unpassend"
empfunden? Warum?

ⓔ Was bedeutet der letzte Satz des Absatzes:
„Was war in sie gefahren?"
Kreuzen Sie an.

☐ Wohin war sie gefahren?
☐ Ob sie wohl verrückt geworden ist?
☐ Wer ist mit ihr zum Gasthof gefahren?

---

[1] einkochen — Konservieren von Obst, Beeren usw.
durch Kochen und luftdichtes
Verschließen

[2] kegeln — wie Bowling; mit einer Kugel wirft
man möglichst viele der neun am Ende
einer Bahn aufgestellten Kegel um

[3] der/die Halbwüchsige — Jugendliche/r

[4] die Schleckereien (Pl.) — Süßigkeiten, hier: Unterhaltsames

[5] der Flickschuster — ein Schuster, der Schuhe nur repariert

zu Ende. Es war nicht leicht, mit meiner Großmutter
über Dinge zu reden, die sie nicht bereden wollte.
Etwa ein halbes Jahr nach dem Tod des Großvaters
schrieb der Buchdrucker meinem Vater, daß die Mut-
95 ter jetzt jeden zweiten Tag im Gasthof esse. Was für
eine Nachricht! Großmutter, die zeit ihres Lebens für
ein Dutzend Menschen gekocht und immer nur die
Reste aufgegessen hatte, aß jetzt im Gasthof! Was war
in sie gefahren?

100 Bald darauf führte meinen Vater eine Geschäftsrei-
se in die Nähe, und er besuchte seine Mutter.
Er traf sie im Begriffe, auszugehen. Sie nahm den Hut
wieder ab und setzte ihm ein Glas Rotwein mit Zwieback[1] vor. Sie schien ganz ausgeglichener[2] Stimmung
105 zu sein, weder besonders aufgekratzt[3] noch besonders
schweigsam. Sie erkundigte sich nach uns, allerdings
nicht sehr eingehend, und wollte hauptsächlich wissen,
ob es für die Kinder auch Kirschen gäbe. Da war sie
ganz wie immer. Die Stube war natürlich peinlich sau-
110 ber, und sie sah gesund aus.
Das einzige, was auf ihr neues Leben hindeutete[4], war,
daß sie nicht mit meinem Vater auf den Gottesacker[5]
gehen wollte, das Grab ihres Mannes zu besuchen.
„Du kannst allein hingehen", sagte sie beiläufig, „es ist
115 das dritte von links in der elften Reihe. Ich muß noch
wohin."
Der Buchdrucker erklärte nachher, daß sie wahrscheinlich zu ihrem Flickschuster mußte. Er klagte
sehr. „Ich sitze hier in diesen Löchern mit den Meinen
120 und habe nur noch fünf Stunden Arbeit und schlecht
bezahlte, dazu macht mir mein Asthma[6] wieder zu
schaffen, und das Haus in der Hauptstraße steht leer."

Mein Vater hat im Gasthof ein Zimmer genommen,
aber erwartet, daß er zum Wohnen doch von seiner
125 Mutter eingeladen werden würde, wenigstens pro forma[7], aber sie sprach nicht davon. Und sogar als das
Haus voll gewesen war, hatte sie immer etwas dagegen
gehabt, daß er nicht bei ihnen wohnte und dazu das
Geld für das Hotel ausgab!
130 Aber sie schien mit ihrem Familienleben abgeschlossen
zu haben und neue Wege zu gehen, jetzt, wo ihr Leben
sich neigte. Mein Vater, der eine gute Portion Humor
besaß, fand sie „ganz munter" und sagte meinem
Onkel, er solle die alte Frau machen lassen, was sie
135 wollte. Aber was wollte sie?
Das nächste, was berichtet wurde, war, daß sie eine
Bregg bestellt hatte und nach einem Ausflugsort
gefahren war, an einem gewöhnlichen Donnerstag.
Eine Bregg war ein großes, hochrädriges Pferdegefährt
140 mit Plätzen für ganze Familien. Einige wenige Male,
wenn wir Enkelkinder zu Besuch gekommen waren,

7 **Lesen Sie weiter bis Zeile 171.**

a Der Vater des Erzählers besucht seine
Mutter. Was an ihr erscheint ihm wie immer,
was findet er ungewöhnlich?

b Über welche Aktivitäten der Großmutter
wird berichtet?

c Schätzt der Vater des Erzählers seine Mutter
gleich ein wie der Buchdrucker? Suchen Sie
Textstellen, in denen die Meinung der beiden
Männer zu ihrer Mutter jeweils deutlich wird.

Vater des Erzählers
sie schien ganz ausgeglichener Stimmung (Z. 104)

Buchdrucker

d Wer bezeichnet das Verhalten der
Großmutter als „unwürdig"? Warum?

---

[1] der Zwieback   knusprig hartes, haltbares Gebäck

[2] ausgeglichen   entspannt

[3] aufgekratzt   eher lustig, gut gelaunt, lebhaft

[4] hindeuten   hinweisen

[5] der Gottesacker   Friedhof

[6] das Asthma   Krankheit, die sich in Atemnot, Kurzatmigkeit äußert

[7] pro forma   der Form wegen, um den gesellschaftlichen Regeln gerecht zu werden

hatte Großvater die Bregg gemietet. Großmutter war immer zu Hause geblieben. Sie hatte es mit einer wegwerfenden Handbewegung abgelehnt, mitzukommen.

145 Und nach der Bregg kam die Reise nach K., einer größeren Stadt, etwa zwei Eisenbahnstunden entfernt. Dort war ein Pferderennen, und zu dem Pferderennen fuhr meine Großmutter. Der Buchdrucker war jetzt durch und durch alarmiert. Er wollte einen Arzt hin-

150 zugezogen haben. Mein Vater schüttelte den Kopf, als er den Brief las, lehnte aber die Hinzuziehung eines Arztes ab. Nach K. war meine Großmutter nicht allein gefahren. Sie hatte ein junges Mädchen mitgenommen, eine halbe Schwachsinnige, wie der Buchdrucker

155 schrieb, das Küchenmädchen des Gasthofs, in dem die Greisin jeden zweiten Tag speiste. Dieser ‚Krüppel‘[1] spielte von jetzt ab eine Rolle. Meine Großmutter schien einen Narren an ihr gefressen[2] zu haben. Sie nahm sie mit ins Kino und zum Flickschuster, der sich

160 übrigens als Sozialdemokrat herausgestellt hatte, und es ging das Gerücht, daß die beiden Frauen bei einem Glas Rotwein in der Küche Karten spielten.

„Sie hat dem Krüppel jetzt einen Hut gekauft mit Rosen drauf", schrieb der Buchdrucker verzweifelt.

165 „Und unsere Anna hat kein Kommunionskleid[3]!"
Die Briefe meines Onkels wurden ganz hysterisch, handelten nur von der ‚unwürdigen Aufführung unserer lieben Mutter‘ und gaben sonst nichts mehr her. Das Weitere habe ich von meinem Vater.

170 Der Gastwirt hatte ihm mit Augenzwinkern zugeraunt: „Frau B. amüsiert sich ja jetzt, wie man hört."

In Wirklichkeit lebte meine Großmutter auch diese letzten Jahre keinesfalls üppig[4]. Wenn sie nicht im Gasthof aß, nahm sie meist nur ein wenig Eierspeise zu

175 sich, etwas Kaffee und vor allem ihren geliebten Zwieback. Dafür leistete sie sich einen billigen Rotwein, von dem sie zu allen Mahlzeiten ein kleines Glas trank. Das Haus hielt sie sehr rein, und nicht nur die Schlafstube[5] und die Küche, die sie benutzte. Jedoch nahm

180 sie darauf ohne Wissen der Kinder eine Hypothek auf. Es kam niemals heraus, was sie mit dem Geld machte. Sie scheint es dem Flickschuster gegeben zu haben. Er zog nach ihrem Tod in eine andere Stadt und soll dort ein größeres Geschäft für Maßschuhe eröffnet haben.

185 Genau betrachtet lebte sie hintereinander zwei Leben. Das eine, erste, als Tochter, als Frau und als Mutter und das zweite einfach als Frau B., eine alleinstehende Person ohne Verpflichtungen und mit bescheidenen, aber ausreichenden Mitteln. Das erste Leben dauerte

190 etwa sechs Jahrzehnte, das zweite nicht mehr als zwei Jahre.

Mein Vater brachte in Erfahrung, daß sie im letzten halben Jahr sich gewisse Freiheiten gestattete, die nor-

---

8 **Lesen Sie weiter bis Zeile 208.**

a Die Großmutter „lebte hintereinander zwei Leben" (Zeile 185). Was ist damit gemeint?

b Ordnen Sie den beiden „Leben" jeweils Stichworte zu.

das erste Leben	
als	Tochter, Frau, ...
Dauer	
Aktivitäten	
soziale Kontakte	
das zweite Leben	
als	
Dauer	
Aktivitäten	
soziale Kontakte	

c Was meinen Sie: Warum ist die Großmutter lieber mit dem Flickschuster zusammen als mit der Familie des Buchdruckers?

---

[1] der Krüppel — behinderter, missgebildeter Mensch

[2] an jemandem einen Narren gefressen haben — jemanden besonders mögen

[3] die Kommunion — katholisches Fest der Erstkommunion, feiert den ersten Empfang des Abendmahls, die Mädchen tragen ein festliches weißes Kleid

[4] üppig — verschwenderisch, im Überfluss

[5] die Stube — Zimmer

male Leute gar nicht kennen. So konnte sie im Som-
195 mer früh um drei Uhr aufstehen und durch die leeren
Straßen des Städtchens spazieren, das sie so für sich
ganz allein hatte. Und den Pfarrer, der sie besuchen
kam, um der alten Frau in ihrer Vereinsamung Gesellschaft zu leisten, lud sie, wie allgemein behauptet wur-
200 de, ins Kino ein!

Sie war keineswegs vereinsamt. Bei dem Flickschuster
verkehrten[1] anscheinend lauter lustige Leute, und es
wurde viel erzählt. Sie hatte dort immer eine Flasche
ihres eigenen Rotweins stehen, und daraus trank sie
205 ihr Gläschen, während die anderen erzählten und über
die würdigen Autoritäten der Stadt loszogen. Dieser
Rotwein blieb für sie reserviert, jedoch brachte sie
mitunter der Gesellschaft stärkere Getränke mit.

210 Sie starb ganz unvermittelt, an einem Herbstnach-
mittag in ihrem Schlafzimmer, aber nicht im Bett,
sondern auf dem Holzstuhl am Fenster. Sie hatte den
„Krüppel" für den Abend ins Kino eingeladen, und so
war das Mädchen bei ihr, als sie starb. Sie war vierund-
siebzig Jahre alt.
215 Ich habe eine Photographie von ihr gesehen, die sie auf
dem Totenbett zeigt und die für die fünf Kinder ange-
fertigt worden war.
Man sieht ein winziges Gesichtchen mit vielen Falten
und einen schmallippigen, aber breiten Mund. Viel
220 Kleines, aber nichts Kleinliches. Sie hatte die langen
Jahre der Knechtschaft und die kurzen Jahre der Freiheit ausgekostet und das Brot des Lebens aufgezehrt[2]
bis auf den letzten Brosamen[3].

9 Spekulation

Wie endet die Geschichte?
Was wird aus der Großmutter?

10 Lesen Sie die Erzählung zu Ende.

In Verbindung mit einer Fotografie
der toten Großmutter heißt es, in ihrem
Gesicht gebe es „viel Kleines, aber nichts
Kleinliches". Was sagt dieser Satz über
die Großmutter aus?

- ☐ dass sie im Lauf der Zeit immer
  kleiner geworden war
- ☐ dass man viele Kleinigkeiten auf
  dem Foto erkennen kann
- ☐ dass sie zwar ein Mensch von
  kleiner Gestalt, aber von
  großzügigem Charakter war

[1] verkehren   ein- und ausgehen, besuchen

[2] aufzehren   aufessen, aufbrauchen

[3] die Brosame   das Brotkrümelchen
                (bei Brecht maskulin)

11 Fazit

Im Schlusssatz entwirft der Autor ein Bild. Beziehen Sie das Gegensatzpaar
„Knechtschaft" und „Freiheit" auf das Leben der Greisin.

AB 31 6–7

12 Wen oder was kritisiert Bertolt Brecht in dieser Erzählung? Erklären Sie.

- ☐ ältere Menschen
- ☐ Leute wie den Flickschuster
- ☐ die kleinbürgerliche Moral

13 Aktualität

Ist die Erzählung „Die unwürdige Greisin" aus dem Jahr 1939 Ihrer Meinung
nach heute noch interessant? Sammeln Sie Argumente für Ihren Standpunkt.

Im Grunde ist Literatur doch …
Ich finde die Erzählung …, weil …
Die Erzählung ist meiner Meinung nach immer noch „aktuell"
bzw. relevant, da man heute …
Die Verhältnisse aus der Erzählung lassen sich gut / weniger gut
auf heutige Situationen übertragen, denn …

AB 32 8–9

SCHREIBEN

1   Ältere Menschen – wie sollen sie leben?

Lesen Sie zwei Meinungen zu dieser Frage.

In einem Altersheim kann man seinen Lebensabend bestimmt am allerbesten genießen. Man braucht sich um nichts mehr zu kümmern und hat viele Menschen um sich, die in einer ähnlichen Situation sind.

Leute, die ihre Eltern oder Großeltern im Altersheim unterbringen, sind nur zu egoistisch, sich selbst um sie zu kümmern. Die alten Leute fühlen sich zu Hause bei ihren Angehörigen doch viel wohler.

2   Schriftliche Ausarbeitung eines Referats zu dem Thema

Arbeiten Sie in folgenden Schritten.

Schritt 1   Sammeln Sie Stichworte zu folgenden Fragen.
- Warum besteht die Notwendigkeit oder der Wunsch, in ein Altersheim zu gehen?
- Welche Vorteile haben Altersheime? Für wen?
- Welche Nachteile haben sie? Für wen?
- Wie leben ältere Menschen in Ihrem Heimatland?
- Was würden Sie unternehmen, wenn Ihre Eltern nicht mehr für sich selbst sorgen könnten?

Schritt 2   Gliedern Sie Ihren Text. Beantworten Sie dabei folgende Fragen.
- Mit welchem der Punkte oben leite ich das Referat am besten/interessantesten ein?
- Welche Argumente passen logisch hintereinander?
- Wie bringe ich meine Meinung zum Ausdruck?
- Womit schließe ich mein Referat ab?

Schritt 3   Ausformulieren

a Setzen Sie die Redemittel zur Einführung neuer Punkte bzw. Argumente richtig zusammen.

Zunächst möchte ich	vergessen, dass ...
Folgende Gründe	also festhalten, ...
Außerdem darf man nicht	aber bedenken, dass ...
Andererseits muss man	folgende Fragestellung erläutern: ...
Abschließend kann man	sprechen dafür/dagegen, ...

b Streichen Sie in der folgenden Liste die Formen, die weniger gut zu einem Referat passen.

Anrede	*Sehr geehrte Damen und Herren, – Lieber Hans, – Liebe Mitschülerinnen und Mitschüler, – Liebe Kolleginnen und Kollegen, – Hallo, Freunde,*
Anredeform	*Sie – du/ihr*
Register	*emotional – sachlich – polemisch*
Schlusssatz	*Vielen Dank für Ihre/eure Aufmerksamkeit. – So, das war's.*

AB 33   10

3   Verfassen Sie nun Ihren Text.

1 Gegenteile

Ordnen Sie das gegenteilige Adjektiv zu.

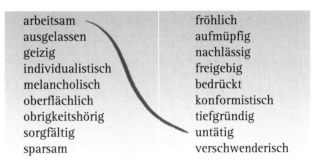

arbeitsam	fröhlich
ausgelassen	aufmüpfig
geizig	nachlässig
individualistisch	freigebig
melancholisch	bedrückt
oberflächlich	konformistisch
obrigkeitshörig	tiefgründig
sorgfältig	untätig
sparsam	verschwenderisch

AB 34 11

GR 2 Charakterisierende Adjektive: positiv – negativ

GR S. 42

Suchen Sie jeweils das Gegenteil zu den folgenden Adjektiven. Bilden Sie die Wörter mit einer der Vorsilben *un-, miss-, in-, ir-, a-, des-* oder mit einer der Nachsilben *-frei, -los*.

angepasst	*unangepasst*	geschmackvoll
interessiert		höflich
kompetent		rational
kompliziert		religiös
temperamentvoll		vergnügt
würdevoll		verständlich
würdig		vorurteilsbeladen

AB 34 12–14

GR 3 Vorurteile

Kombinieren Sie die Personen in der mittleren Spalte mit den charakterisierenden Adjektiven in der rechten Spalte. Bilden Sie dann Sätze mit den verschiedenen Artikelwörtern in der Spalte links. Achten Sie auf die richtige Endung der attributiven Adjektive.

Beispiele: *Viele gute Opernsänger sind ziemlich beleibt.*
Die meisten schönen Frauen sind eitel.

Alle	Opernsänger (gut)	unaufrichtig
Die meisten	Kinder (klein)	traditionsverbunden
Viele	Menschen (älter)	eitel
Einige	Schauspieler (beliebt)	eingebildet
Wenige	Männer (jung)	unnahbar
Die wenigsten	Frauen (schön)	draufgängerisch
Zahlreiche	Leute (reich)	frech, ungezogen
Keine	Politiker (bekannt)	beleibt

AB 36 15

4 Klischee oder Wahrheit?

a Ordnen Sie Adjektive und Partizipien aus den Aufgaben 1 bis 3 bestimmten Nationalitäten oder Personengruppen zu. Sie dürfen hier ruhig etwas provozieren.

Beispiele: *Die Deutschen sind häufig angepasst.*
Viele Russen gelten als melancholisch.
Viele Wissenschaftler sind langweilige Menschen.

b Diskutieren Sie anschließend darüber, ob die Aussagen zutreffen oder ob es sich nur um eine Klischeevorstellung handelt.

AB 36 16

P 1 **Posteraktion gegen Vorurteile**

In Schulen, Rathäusern und an anderen öffentlichen Plätzen soll ein Poster aufgehängt werden, das ein Vorurteil gegenüber einer bestimmten Verhaltensweise oder Rolle thematisiert. Eine Werbeagentur wurde beauftragt, dieses Poster zu entwerfen, und hat nun zwei Vorschläge ausgearbeitet.

ⓐ Wählen Sie unter den beiden abgebildeten Postern das aus, das Ihnen mehr zusagt.

ⓑ Überlegen Sie, wie Sie Ihre Wahl begründen wollen, und suchen Sie eine Gesprächspartnerin / einen Gesprächspartner, die/der das andere Plakat gewählt hat.

ⓒ Handeln Sie mit Ihrer Gesprächspartnerin / Ihrem Gesprächspartner aus, welches Poster sich besser dafür eignet, auf Vorurteile aufmerksam zu machen. Beharren Sie dabei nicht unbedingt auf Ihrem Vorschlag.

einen Vorschlag machen und begründen	sich zu diesem Vorschlag äußern und einen Gegenvorschlag machen
Also, ich finde das … Poster sehr geeignet, weil es …	*Damit magst du / mögen Sie zwar recht haben, aber ich finde … ansprechender.* *Das Poster mit … halte ich für (un)geeignet, …*
Außerdem greift es eine wichtige Thematik auf, nämlich …	*Ich bin nicht ganz dieser Meinung.* *Was auf dem Poster … dargestellt ist, trifft doch viel besser … / kommt mir*
Besonders gefällt mir daran …	*viel … / wirklichkeitsnäher vor.*
Weniger passend scheint mir … zu sein, denn …	*Wir sollten vielleicht auch mal überlegen, wen wir damit erreichen wollen. …*
Im Grunde ist nicht entscheidend, welches Poster wir nehmen, sondern …	*Wäre es nicht besser, wir würden uns auf … einigen?*

AB 37 17–18

HÖREN

1 Was ist auf dem Foto abgebildet?

Das Bild gehört zur ersten Szene der *Dreigroschenoper*.
Das Theaterstück handelt von dem Existenzkampf,
dem Debakel und der glücklichen Errettung des
Londoner Straßenräubers und Geschäftsmannes
Macheath, genannt Mackie Messer.

2 Hören Sie die erste Strophe der „Moritat von Mackie Messer".

CD|13

a Wie wirken Gesang und Musik auf Sie?

b Mit welchem Tier wird Mackie Messer verglichen?

c Was für ein Mensch wird er wohl sein?

d Wovon könnte im weiteren Liedtext die Rede sein?

3 Liedtext ergänzen

CD|14

a Hören Sie nun die weiteren Strophen des Liedes und ergänzen Sie die fehlenden Wörter.

Die Moritat von MACKIE MESSER

1
Und der Haifisch, der hat Zähne
Und die trägt er im Gesicht
Und Macheath, der hat ein Messer
Doch das Messer sieht man nicht.

2
Ach, es sind des Haifischs Flossen
Rot, wenn dieser Blut ......*vergießt*..........
Mackie Messer trägt 'nen Handschuh
Drauf man keine Untat ....

3
An der Themse grünem Wasser
Fallen plötzlich ....
Es ist weder Pest noch Cholera
Doch es heißt: Macheath ....

4
An 'nem schönen blauen Sonntag
Liegt ein toter Mann ....
Und ein Mensch geht um die Ecke
Den man Mackie Messer ....

5
Und Schmul Meier bleibt verschwunden
Und so mancher ....

6
Und sein Geld hat Mackie Messer
Dem man nichts ....

7
Jenny Towler ward gefunden
Mit 'nem Messer ....
Und am Kai geht Mackie Messer,
Der von allem ....

8
Wo ist Alfons Glite, der Fuhrherr?
Kommt das je ans ....?
Wer es immer wissen könnte –
Mackie Messer weiß ....

9
Und das große Feuer in Soho
Sieben Kinder und .... –
In der Menge Mackie Messer, den
man nicht fragt und der ....

10
Und die minderjährige Witwe
Deren Namen ....
Wachte auf und war geschändet –
Mackie, welches war ....?

b Vergleichen Sie die Wörter, die Sie in jeder Strophe notiert haben.
Was fällt Ihnen auf? Beispiel: *Blut vergießt* – *keine Untat liest*

4 Der Inhalt des Liedes

a Von wem ist jeweils im ersten Teil der Strophen die Rede, von wem im zweiten?

b Worin gleicht sich das Schicksal der verschiedenen Personen im Lied?

c Was hat Mackie Messer damit zu tun?

5 Was ist Ihrer Meinung nach eine Moritat?

Schlagen Sie den Begriff eventuell in einem deutschsprachigen Lexikon nach.

ÜG S. 46

1 Adjektivbildung

ⓐ ... + Adjektiv

Adjektiv	Beispiel
-arm	blutarm, vitaminarm
-bändig	einbändig, mehrbändig
-bedürftig	hilfsbedürftig, liebesbedürftig
-bereit	einsatzbereit, hilfsbereit
-frei	schmerzfrei
-haft	schmerzhaft
-haltig	vitaminhaltig
-leer	inhaltsleer, luftleer
-los	ereignislos
-reich	ereignisreich, abwechslungsreich, vitaminreich
-sprachig	mehrsprachig
-voll	stilvoll, liebevoll
-wert	empfehlenswert, hörenswert, sehenswert

ⓑ Negation von Adjektiven durch Vorsilben

Vorsilbe	Beispiel
a-/an-	amoralisch, anorganisch
des-/dis-	desinteressiert, disharmonisch
il-/in-/ir-	illegal, inkompetent, irregulär
miss-	missvergnügt
non-	nonverbal
un-	unwürdig

2 Adjektivdeklination

ÜG S. 30 ff.

	Nach ...	... wird das Adjektiv dekliniert wie nach dem ...	Beispiel
Singular	dies-, jen-, manch-, jed-, welch-, derjenige, derselbe, folgend-, solch-	bestimmten Artikel.	mit dieser guten Idee, jener alte Mann
	mein-, kein-, irgendein-	unbestimmten Artikel.	mein liebes Haustier, keinen bösen Gedanken
	allerlei, solch, etwas, genug, viel, mehr, wenig, nichts (+ substantiviertes Adjektiv)	Nullartikel.	viel schmackhafter Käse, mit etwas gutem Willen, nichts Besonderes
Plural	diese, diejenigen, dieselben, jene, keine, alle, (irgend-)welche, solche, meine	bestimmten Artikel.	jene neuen Aufgaben, ...
	wenige, andere, einige, einzelne, ein paar, manche, beide, mehrere, etliche, sämtliche, zahlreiche, viele, verschiedene	Nullartikel.	wenige glückliche Menschen, etliche schwierige Fragen

3

4

Welche Verhaltensweisen sind hier dargestellt?

Haben Sie so etwas auch schon einmal erlebt? Berichten Sie.

HÖREN

__1__   **Sehen Sie sich das Foto an.**
Wo wurde das Foto aufgenommen?

__2__   **Hören Sie den Anfang einer**
CD | 15   **Unterhaltung zwischen den**
drei Personen.

(a) Worüber unterhalten sie sich?

(b) Was fällt Ihnen bei den Personen auf?

(c) Charakterisieren Sie die Personen.
schnippisch – arrogant – selbstbewusst –
charmant – zuvorkommend – zurückhaltend

(d) Aus welchen deutschsprachigen Regionen stammen die Personen?

(e) Welche Unterschiede können Sie an der Sprechweise feststellen?

__3__   **Hören Sie nun den Rest der Unterhaltung.**
CD | 16–18   Welche der folgenden Themen werden nicht angesprochen?

☐ Rücksichtsloser Nachbar   ☐ Unterschiedliche Erwartungen

☐ Peinliches Verhalten beim Abendessen   Frauen, Männer

☐ Unpassende Kleidung   ☐ Klage über angetrunkene Nachbarn

☐ Unterschiede Nord und Süd   ☐ Strenge Tischsitten früher

__4__   **Hören Sie das Gespräch noch einmal in Abschnitten.**
CD | 15–18   Notieren Sie Stichpunkte.

Abschnitt 1   **Benimmfehler**

(a) Welche „Benimmfehler" beging der Mann, mit dem die Österreicherin
essen war? _____

(b) Was störte sie am meisten?_____

(c) Ihre Bekannte beklagt sich über ihren Nachbarn. Nennen Sie drei
Gründe. _____

Abschnitt 2   **Regionale Unterschiede**

(d) Was ist in Süddeutschland, Österreich, der Schweiz in Bezug auf …
üblich, im Norden eher nicht?_____

Abschnitt 3   **Angemessenes Verhalten**

(e) Was ist für den Herrn aus der Schweiz oft schwer zu erkennen?
_____

(f) Aufdringlich wäre für die Dame aus Österreich _____

(g) … für die Dame aus Norddeutschland _____

(h) Welche zwei Reaktionen nennt die Österreicherin auf den Handkuss?
_____

Abschnitt 4   **Tischsitten früher und heute**

(i) Der Schweizer erzählt über strenge frühere Tischsitten wie z.B.
_____

(k) Die Unterhaltung endet damit, dass der Herr _____

AB 42   2–3

__5__   **Eine vergleichbare Situation in Ihrem Heimatland.**
Was wäre ähnlich, was anders?

1 Benimmregeln

a Welche wichtigste Regel haben Sie von Ihren Eltern gelernt?

b Gibt es eine Regel, die speziell für Ihr Land typisch ist? Welche?

2 Lesen Sie die „Benimm-Tipps für Profis" und ordnen Sie sie in Themengruppen.

Kommunikation	Tischsitten	Grüßen/Vorstellen	Einladungen

1	Abendessen	Zu einem Dinner sollte man immer pünktlich sein.
2	Anstandshappen	Auch wenn Sie noch hungrig sind, sollten Sie Ihren Teller bei Einladungen niemals komplett leer essen.
3	Anstoßen	Nur mit Wein, Champagner oder Sekt, nicht aber mit Bier, Longdrinks oder gar Latte macchiato. Vornehmer ist, das Glas lediglich anzuheben und sich zuzunicken.
4	Aufstehen	Heutzutage ist es in der Jobwelt selbstverständlich, dass sich auch Frauen zur Begrüßung erheben.
5	Büfett	Das Auge hungert oft mehr als der Magen. Daher niemals den Teller überladen – lieber noch ein zweites oder auch drittes Mal nachnehmen.
6	Codes	c.t. (cum tempore) auf der Einladungskarte bedeutet „Verspätung erlaubt", s.t. (sine tempore): „Pünktlichkeit ist Pflicht".
7	Diskretion	Da gilt weiter die alte Regel: Über Geld spricht man nicht. Außerdem verpönt: brisante Themen wie Politik, Religion oder Persönliches wie Krankheiten oder Todesfälle.
8	Faustregel	Je fremder die Personen in der Runde, je offizieller der Rahmen, desto wichtiger ist es, die traditionellen Tischsitten zu kennen – und natürlich auch zu praktizieren.
9	Goldene Regel	Wichtig ist beim Small Talk immer, echtes Interesse statt Neugierde und Wertschätzung statt Kritik zu zeigen.
10	Gruß	Bei privaten Begegnungen grüßt immer der, der dazukommt oder den anderen zuerst sieht. Wer sich in Restaurants mit an den Tisch setzt oder ein Wartezimmer beim Arzt betritt, sollte grüßen.
11	Handy	Lautes Telefonieren in der Öffentlichkeit ist mehr als unhöflich.
12	Hilfsbereitschaft	Generell gilt: Er hilft ihr, die jüngere hilft der älteren Person.
13	Hinterhalt	Nie eine Person von hinten ansprechen, erst Blickkontakt suchen, dann auf den anderen zugehen.
14	Körpersprache beim Essen	Die Ellenbogen liegen nicht auf dem Tisch. Nie Messer ablecken, nicht schmatzen oder mit vollem Mund sprechen.
15	Mafiatorte	Wie Pizza am Stehimbiss gegessen wird, liegt wortwörtlich auf der Hand. Geht es feiner zu, sollte man die Fingervariante unterlassen.
16	Nachschub	Man lässt sich von den anderen Gästen am Tisch Dinge reichen und greift nicht über den Teller des Tischnachbarn hinweg.
17	Niesen	Benutzen Sie entweder ein Taschentuch oder die linke Hand. „Gesundheit" zu wünschen ist heute passé.
18	Schluss per SMS	Von wegen kurz und schmerzlos – elektronische Trennungsgrüße sind stillos!

19	Small Talk	Sicher sind klassische Konversationsthemen: Gemeinsames, Erfreuliches aus aller Welt. Essen und Trinken, Reisen und Freizeit.
20	Smileys	Bitte nur in privaten Nachrichten verwenden.
21	SMS bekommen	Wenn Ihr Handy piepst, sollten Sie die eingegangene Kurzmitteilung sofort lesen, auch wenn Sie in Gesellschaft sind.
22	SMS verfassen	Unhöflich ist es, SMS in Gegenwart von anderen Personen zu verfassen oder alle paar Sekunden nachzuschauen, ob eine angekommen ist.
23	Start	Man beginnt erst mit dem Essen, wenn alle ihr Gericht haben, und bleibt sitzen, bis auch der Letzte am Tisch fertig ist.
24	Stimme	Sprechen Sie freundlich und deutlich. Patzige Antworten oder gar Stoßseufzer bitte verkneifen.
25	Uhrzeit	Bei einer Party können Sie ruhig ein, spätestens zwei Stunden nach Beginn erscheinen.
26	Vorstellen	Der Dame wird der Herr zuerst vorgestellt, dem Älteren der Jüngere, dem Professor der Rangniedrigere.
27	Wein	Wenn der Gastgeber zur Feier des Tages einen besonders guten Wein serviert, sollten Sie Ihr Glas leeren, bevor Sie den Tisch verlassen.
28	Wetter	Ein Thema, das sich im Small Talk fast immer bewährt. Versuchen Sie sich ruhig in meteorologischen Betrachtungen.

4

___3___ **Falsche herausfinden**

Drei Regeln sollten Sie nicht befolgen. Welche?

___4___ **Erklärungen**

Setzen Sie sich in Gruppen zusammen. Greifen Sie zwei bis drei Regeln heraus und erklären Sie, warum man sich so verhalten soll.

Beispiel: *Nr. 11 Handy. Lautes Telefonieren in der Öffentlichkeit ist mehr als unhöflich.*
In Gegenwart von fremden Menschen führt man Zweier-Gespräche, egal ob es ein geschäftliches oder privates Telefonat oder ein Gespräch mit einem Anwesenden ist, immer so, dass andere nicht mithören müssen und nicht davon gestört werden. Aus Diskretion und Rücksicht.

___5___ **Welche der Regeln gelten nicht in Ihrem Land? Warum?**

_GR_ **6** **Regeln formulieren**

Suchen Sie im Text sprachliche Formen, mit denen man Regeln formulieren kann. Ergänzen Sie je ein weiteres Beispiel aus dem Text.

Infinitivstil	persönlich	unpersönlich	Passiv
Smileys bitte nur in privaten Nachrichten verwenden.	Bitte verwenden Sie Smileys nur in privaten Nachrichten.	Smileys verwendet man nur in privaten Nachrichten.	Smileys werden nur in privaten Nachrichten verwendet.

AB 44 4–6

Machen Sie einen Test für Ihre Kurskollegen. Dazu teilen Sie sich in möglichst viele Zweiergruppen. Arbeiten Sie in Schritten.

Schritt 1   Themen auswählen

Bei welchem der folgenden Bereiche ist falsches Verhalten besonders schädlich? Wählen Sie drei bis vier aus.

- ☐ Grüßen (z. B. zwischen Älteren und Jüngeren, Männern und Frauen)
- ☐ Pünktlichkeit (z. B. bei privaten oder geschäftlichen Verabredungen)
- ☐ Einladungen (z. B. Was bringt man als Geschenk mit?)
- ☐ Kommunikation (z. B. per Handy oder E-Mail)
- ☐ Tischmanieren (z. B. Wie isst man eine Pizza, Spargel, Kartoffeln?)
- ☐ Den Esstisch decken (Was gehört wohin? Zum Beispiel Salatteller, Gläser, Besteck)
- ☐ Getränke (Welche passen zu welcher Gelegenheit? Zum Beispiel Bier, Sherry, Sekt)
- ☐ Kleidung (z. B. Hüte, bei Beerdigungen)

Schritt 2   Situationen formulieren

Beispiel: Tischmanieren
Überlegen Sie sich eine Situation:
Womit bzw. wie isst man Pizza, Fleisch, Reis?
Stößt man beim Trinken mit den anderen an?
Welche Getränke passen zu …?

Schritt 3   Auswahlantworten formulieren

Formulieren Sie zu jeder Situation nun drei möglichst plausibel klingende Auswahlantworten.

ⓐ *Pizza darf in jeder Umgebung mit der Hand gegessen werden.*

ⓑ *Pizza isst man grundsätzlich mit Messer und Gabel.*

ⓒ *Pizza isst man, je nachdem, wie vornehm die Umgebung ist, mit Besteck oder mit der Hand.*

Schritt 4   Lösung angeben

Welche Antwort ist die richtige, a oder b oder c? Warum?
Überprüfen Sie, ob Ihre Auswahlmöglichkeiten wirklich eindeutig sind.

Schritt 5   Test zusammensetzen

Kleben Sie die Testaufgaben aller Gruppen auf gemeinsame Blätter.
Nummerieren Sie durch.
Der Kursleiter sammelt die Lösungen auf einer Folie „Auflösung".

Schritt 6   Test ausprobieren und auswerten

Geben Sie nun die Testaufgaben im Kurs aus. Pro Aufgabe geben Sie eine Minute Zeit.
Vergleichen Sie anschließend Ihre Antworten mit der Folie „Auflösung".
Ermitteln Sie den Testsieger.

SCHREIBEN 2

1 Formelle Briefe

Zu welchem Anlass schreiben Sie formelle Briefe?

2 Höflichkeit

a Unterstreichen Sie in dem Brief höfliche Ausdrucksweisen.

> Sehr geehrte Frau Dr. Perlmann,
>
> für Ihren freundlichen Empfang und Ihre wertvollen Informationen
> danke ich Ihnen noch einmal sehr herzlich. Es tut mir sehr leid, dass ich
> aufgrund eines Verkehrsstaus zu spät zu dem vereinbarten Termin eintraf.
> In der Anlage darf ich Ihnen noch nachträglich ein kleines Souvenir
> aus meiner Heimat schicken.
> Ich würde mich freuen, wenn es Ihnen etwas Spaß macht.
>
> Mit freundlichen Grüßen
>
> Ihr *Alberto Almedo*
>
> P.S.: Leider habe ich das Skript Ihres Vortrags nicht mehr, ich habe es
> an eine interessierte Kollegin weitergegeben. Wären Sie so freundlich,
> mir bei Gelegenheit eine weitere Kopie zu schicken?

b Ergänzen Sie Beispiele aus dem Brief in dem Kasten unten. Kennen Sie weitere Beispiele?

formelle Anrede	*Sehr geehrte Frau Dr. Perlmann,*
Dank	
Entschuldigung	
Mitteilung	
Aufforderung/Bitte	

3 Stilwandel

Lesen Sie die Beispiele für Änderungen des Stils formeller Briefe und ordnen
Sie die folgenden Stichworte zu: ~~konkreter Betreff~~ – ~~Fettdruck~~ – höfliche
Bitte – Beginn positiv formulieren – Sie-Stil statt Wir-Stil – Aktiv statt Passiv

früher	heute	Veränderung
a Reklamation	**Reklamation zur Pauschalreise Bayerischer Wald**	*konkreter Betreff Fettdruck*
b Bezug nehmend auf Ihr Schreiben vom	vielen Dank für Ihr Schreiben ...	
c Wir schicken Ihnen folgende Unterlagen:	Sie erhalten folgende Unterlagen: ...	
d Von Ihrer Zweigstelle wurde uns eine Rechnung geschickt, ...	Ihre Zweigstelle hat uns eine Rechnung geschickt, ...	
e Wir bitten um Zusendung Ihres Katalogs.	Bitte schicken Sie mir Ihren Katalog. Vielen Dank.	

4 Dankesschreiben

Sie waren zusammen mit anderen Bewerbern zu einem Empfang mit Abendessen
bei Ihrem zukünftigen Chef eingeladen. Dabei haben Sie eine Tasche mit wichtigen
Unterlagen an der Garderobe zurückgelassen. Bedanken Sie sich schriftlich und
bitten Sie um Nachsendung der Unterlagen.

AB 45 7

SPRECHEN

1 Begrüßungen

a Auf den Bildern sind drei Arten der Begrüßung dargestellt, die in deutschsprachigen Ländern üblich sind.
Welche davon sind sehr formell – informell – intim? Wer begrüßt wen so?

b Wie sehen Begrüßungen bei Ihnen aus?

c Haben Sie schon einmal eine unangenehme Erfahrung bei der Begrüßung gemacht?

d Sind Anweisungen zur richtigen Begrüßung sinnvoll, wenn man in Ihre Heimat reist? Warum (nicht)?

2 Du und Sie

a Wie viele Formen gibt es in Ihrer Sprache?

b Wie sieht die Verbindung von Vornamen/Nachnamen aus?

c Warum gibt es in manchen Sprachen mehr als eine Form?

3 Was passt für die deutsche Sprache zusammen?

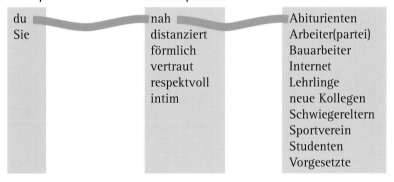

du	nah	Abiturienten
Sie	distanziert	Arbeiter(partei)
	förmlich	Bauarbeiter
	vertraut	Internet
	respektvoll	Lehrlinge
	intim	neue Kollegen
		Schwiegereltern
		Sportverein
		Studenten
		Vorgesetzte

4 Beratungsgespräch

Setzen Sie sich zu viert zusammen. Jeweils zwei Gesprächspartner sind die „Experten", die anderen beiden sind die Ratsuchenden.

Die beiden Ratsuchenden wollen als Geschäftsreisende in die Länder der „Experten" reisen. Sie werden dort in folgende Situationen kommen:
- ☐ Abendessen bei einem Geschäftspartner zu Hause
- ☐ Besichtigung der Büro- und Geschäftsräume ihrer Geschäftspartnerin
- ☐ Museumsbesuch mit einer Sekretärin
- ☐ Verabredung zum Tennis mit einer Mitarbeiterin
- ☐ Party bei ehemaligen Studienfreunden ...

Die Ratsuchenden überlegen, was Sie in einer dieser Situationen verunsichert. Die Experten formulieren einen Rat.
Bei unbekannten Personen, die älter sind als man selbst, sollte man ...
Unbekannte Personen, die jünger sind als ... Jahre, kann man mit ... ansprechen.
Wenn man jemanden (nicht) gut kennt, sollte man ...
Eine Frau spricht man ... an.

AB 46 8

5 Präsentieren Sie im Kurs einige unerwartete Ergebnisse.

<u>1</u>   Was denken oder wissen Sie über ... ?

- ■ **das deutsche Brot**   ■ **die deutsche Musik**
- ■ **die deutsche Pünktlichkeit**
- ■ **Service in Deutschland**   ■ **deutsche Autofahrer**
- ■ **die deutsche Höflichkeit**

Sprechen Sie in kleinen Gruppen über eines dieser Themen.
Berichten Sie über die interessantesten Aspekte in der Klasse.

<u>2</u>   Eine Rede

Lesen Sie nun die folgenden Auszüge aus einer Rede des Gesandten der Britischen
Botschaft in Deutschland, Robert Cooper. Er hielt diese Rede anlässlich eines
Jahrestreffens der Deutsch-Englischen Gesellschaft.
Ergänzen Sie Überschriften zu den Absätzen. Verwenden Sie dazu die
Stichworte aus Aufgabe 1.

Ich habe oft erlebt ...

Ich habe oft erlebt, dass deutsche Zuhörer eine fundierte pessimistische Rede besonders schätzen, die Geschichte einer drohenden Katastrophe etwa oder die Erläuterung, wie schlimm eine bestimmte Situati-
5 on ist und dass alles nur noch schlimmer werden kann. Solche Themen scheinen sehr populär zu sein. Als ich gefragt wurde, worüber ich diesmal reden werde, hörte ich deutlich heraus, dass man nicht so sehr daran interessiert war, was mir an Deutschland gefiel.
10 Vielmehr erhofften sie sich einige niederschmetternde Negativurteile über ihr Land. Solche Erwartungen muss ich leider enttäuschen. Während der Vorbereitung habe ich entdeckt, dass es mir viel leichter fällt, über Dinge zu sprechen, die ich an Deutschland liebe,
15 als über Eigenschaften, über die ich mir, vorsichtig ausgedrückt, nicht ganz so sicher bin.

.... *das deutsche Brot* ....

Von Anfang an war mir klar, was das Beste an Deutschland ist – oder zumeist eins vom Besten:
20 das Brot nämlich. Vielleicht findet es das Land der Dichter und Denker enttäuschend, dass ein Fremder ausgerechnet seine Brotsorten über alles schätzt. Doch sollte man bedenken, wie wichtig das Essen in unserem Leben ist. Gedichte und Gedanken sind gut
25 und schön, aber man kann sie nicht dreimal am Tag essen. Man kann auch nicht 83 Kilo Gedichte pro Jahr verspeisen.
Brot ist etwas Besonderes. Und es ist auch wahr, dass das deutsche Essen als Ganzes wie Brot ist. Es sind die
30 einfachen, oft billigen Dinge, die die besten sind. Biergärten mit Bratwürsten, Weinstuben mit Bratkartoffeln, Märkte mit frischem Gemüse. Die Würste sind, natürlich, etwas Spezielles. Das Bier auch. Es gibt auch eine Menge guten Wein, doch das Bier ist wirklich etwas Besonderes, wie das Brot.   35

....

Ich möchte jenen Satz zitieren, der zurzeit mein Lieblingssatz ist – er stammt von Thomas Mann: „*Wie ich hier vor Ihnen stehe, ein Siebzigjähriger, unwahrscheinlicherweise amerikanischer Bürger seit einigen* 40 *Monaten schon, englisch redend, oder doch bemüht, es zu tun, als Gast, nein, sogar als amtlicher Zugehöriger eines amerikanischen Staatsinstituts, das Sie zusammengeladen hat, mich zu hören – wie ich hier stehe, habe ich das Gefühl, daß das Leben aus dem* 45 *Stoff ist, aus dem Träume gemacht sind.*" Es ist wohl diese Fähigkeit, mit Komplexität umzugehen und dabei einen Faden, ein Thema durchzuhalten, auch durch Abweichungen und untergeordnete Sätze hindurch, die unter anderem erklärt, weshalb die bedeu- 50 tendsten Kompositionen der Welt von deutschsprachigen Musikern stammen. Zumindest in England wird der Gegensatz deutlich: Da bevorzugen wir zunehmend kurze Sätze. Vielleicht sind wir deshalb so gut in der Rockmusik, die ja aus Soundbites besteht – leicht 55 zu merken, schnell zu vergessen.
Eine bessere Erklärung ist, vielleicht, diese von Thomas Mann: „*Musik ist die abstrakteste Kunstform. Und die Deutschen sind die Meister der Abstraktion. Heine sagt: Franzosen und Russen gehört das Land, /* 60 *Das Meer gehört den Briten, / Wir aber besitzen im Luftreich des Traums / Die Herrschaft unbestritten.*"

Verkäufer in Deutschland verstehen im Allgemeinen ihren Job. Sie können genau erklären, welche sechs Getreidesorten im Sechskornbrot enthalten sind, aber manchmal vermitteln sie den Eindruck, dass sie dem Käufer einen Gefallen tun, wenn sie ihm etwas verkaufen. Es gibt auch andere Bereiche, in denen ich zu erkennen glaube, dass der Kundendienst keine Priorität hat. So sind zwar die Angestellten in der Bank sehr hilfsbereit, aber das ganze Banksystem scheint nicht gerade geeignet, einem das Leben einfacher zu machen.

Es ist schwierig, etwas Negatives über den Rhein zu sagen. Aber weil der Rhein eine so wichtige Verkehrsader ist, möchte ich hier die Gelegenheit ergreifen und sagen, dass ich manchmal glaube, dass Deutsche viel netter sind, wenn sie nicht in ihrem Auto sitzen. Wenn ich durch die Stadt gehe, jemanden im Büro besuche oder bei einem Essen bin, finde ich die Deutschen im Allgemeinen höflich, tolerant und rücksichtsvoll. Wie aber kommt es, dass man unter Autofahrern viele trifft, die das genaue Gegenteil sind? Ich habe gehört, dass jedes Land seine eigene Auffassung von Freiheit hat. (...)
In Deutschland bedeutet Freiheit das Recht, auf der Autobahn zu rasen. Im Grunde verblüfft es mich, dass die Raserei nicht als Grundrecht in der Verfassung verankert ist. Manche Deutsche scheinen, sobald sie im Auto sitzen, alle Maßstäbe der Zivilisation zu verlieren, die Deutschland so liebenswert machen.

Die Züge sind nicht immer so pünktlich, wie die Deutsche Bundesbahn es gerne hätte, aber insgesamt funktioniert das System ganz gut. Und vor allem: Die Menschen sind pünktlich. Wenn man einen Termin um 10.30 Uhr hat, dann ist man auch um 10.30 Uhr da. Man könnte es auch als unflexibel bezeichnen, aber es spart doch eine Menge Zeit, und Pünktlichkeit scheint eine Grundform der Höflichkeit zu sein.

Ich finde überhaupt, dass die Deutschen ein sehr höfliches Volk sind, doch haben sie im Ausland nicht diesen Ruf. Das mag daran liegen, dass man Höflichkeit hier anders versteht: Wenn man in Großbritannien zu jemandem „Hallo" oder „Auf Wiedersehen" sagen würde, mit dem man in den Lift gestiegen ist, wäre das ein Schock – man ist sich ja nicht vorgestellt worden.
Deutschland ist Europas bestgehütetes Geheimnis. Es gibt eine Verschwörung zwischen Ignoranten im Ausland und Pessimisten in Deutschland, die verheimlichen wollen, wie attraktiv dieses Land ist. Ich bin für Pessimismus, er ist etwas Positives, das Gegenteil von Selbstzufriedenheit. Aber er kann für Ausländer sehr irreführend sein. Sie sollten sich selbst ein Bild von Deutschland machen.

___3___ ### Über die Deutschen

Was ist nach Ansicht des Redners positiv, was negativ an Deutschland? Welche Beispiele gibt er? Ergänzen Sie die folgende Übersicht.

positiv	Beispiel
das Essen	Brot, Bier besonders gut

negativ	Beispiel

___4___ ### Die Deutschen im Vergleich

Vergleichen Sie Ihre eigenen Einschätzungen (Aufgabe 1) mit denen des Redners.
Wo liegen die Unterschiede und die Gemeinsamkeiten?

P **5** **Lesen Sie die folgende Textzusammenfassung.**

In der Zusammenfassung finden sich vier Fehler. Welche? Markieren Sie.

> In seiner Rede lobt Robert Cooper die Vielfalt und Qualität deutscher Käsesorten, die Würste, das Bier und überhaupt das einfache, aber schmackhafte Essen. Deutsche Gedankengänge hält er dagegen für oftmals kompliziert. Darin sieht er jedoch nichts Schlechtes. Im Gegenteil: Ihre Befähigung zu höchster Abstraktion habe es deutschen Malern erst ermöglicht, die bedeutendsten Werke der Kunstgeschichte zu schaffen. Cooper findet Deutschland attraktiv und seine Bewohner höflich, tolerant, rück-
>
> sichtsvoll und pünktlich. Natürlich gibt es auch Kritikpunkte. Dass sich viele Verkäufer zu wenig um ihre Kunden bemühen, beispielsweise. Dass viele Deutsche so sehr zur Selbstzufriedenheit neigen. Oder dass sich so mancher nette Deutsche in einen Raser verwandelt, sobald er hinter dem Steuer seines Wagens sitzt. Im Großen und Ganzen aber, urteilt Cooper, ist Deutschland viel besser als sein Ruf. Zuletzt warnt er Ausländer davor, sich dazu vor Ort ein eigenes Bild zu machen.

6 **Merkmale einer Rede**

Woran erkennen Sie, dass es sich bei diesem Text um eine Rede handelt?
Welche Textmerkmale würden Sie in einem schriftsprachlichen Text nicht finden?
Geben Sie Beispiele.

GR **7** **Das Wort** *es*   Gr S. 54

ⓐ Unterstreichen Sie im Text alle Sätze, in denen das Wort *es* vorkommt.
Bilden Sie vier Gruppen. Jede Gruppe bearbeitet zwei Abschnitte.

ⓑ Ordnen Sie die Sätze in folgende Übersicht ein.

es			
als Pronomen	als Bestandteil eines Verbs/verbalen Ausdrucks	als zweite Nominativergänzung des Verbs *sein*	als Repräsentant für einen Nebensatz oder Infinitivsatz
... oder doch bemüht, es zu tun, als Gast, nein, – sogar als amtlicher Zugehöriger ... (Zeile 41)	Es gibt auch andere Bereiche, in denen ... (Zeile 69)	Es sind die einfachen, oft billigen Dinge, die die besten sind. (Zeile 29)	Vielleicht findet es das Land der Dichter und Denker enttäuschend, dass ... (Zeile 20)

AB 47 9–10

GR **8** **Die Funktion von** *es*

ⓐ Sehen Sie sich die erste Spalte an.
Welche Funktion hat das Wort *es* hier? Kreuzen Sie an.
  ☐ *es* ersetzt ein Wort oder einen Ausdruck.
  ☐ *es* ist die Ergänzung eines Adjektivs.

ⓑ Sehen Sie sich die zweite Spalte an. *es* ist hier ein Bestandteil des Verbs / verbalen Ausdrucks. Welche obligatorischen Ausdrücke mit *es* kennen Sie? Machen Sie eine Liste.
Beispiele: *es gibt, es tut mir leid, es regnet*

ⓒ Sehen Sie sich die dritte Spalte an. Formulieren Sie die Sätze so um, dass *es* nicht am Satzanfang steht.
Beispiel: *Die einfachen, oft billigen Dinge sind es, die die besten sind.*

ⓓ Sehen Sie sich die vierte Spalte an. Beginnen Sie die Sätze jeweils mit dem zweiten Satzteil. Beispiel: *Dass ein Fremder ...*
Was passiert mit *es*?

AB 47 11–12

1 Verben

a Ordnen Sie die folgenden Verben in Gruppen.

debattieren – plaudern – flüstern – brüllen – diskutieren – labern – schwafeln –
kreischen – schimpfen – sich unterhalten – quatschen – schwätzen – wispern –
nörgeln – meckern – schreien – plappern – grölen – rufen

sich austauschen	über Belangloses sprechen	laut/leise sprechen	Kritik äußern
debattieren			

b Welche dieser Verben könnten umgangssprachlich sein? `AB 48` 13

2 Welche Verben passen?

Ordnen Sie zu.

(eine Geschichte) (ein Fußballspiel) (von einem Ereignis) (mit einem Freund)

erzählen – sagen – reden – sprechen – berichten – mitteilen – kommentieren

(eine Neuigkeit) (die Wahrheit) (eine Sprache) `AB 48` 14

3 Redewendungen und Sprichwörter

Fügen Sie in die Sätze **a** bis **g** die passenden Redewendungen ein.

reden, wie einem
der Schnabel gewachsen ist

Reden ist Silber,
Schweigen ist Gold.

wie ein Wasserfall
reden

nicht auf den Mund
gefallen sein

um den heißen
Brei herumreden

einem das Wort
im Mund umdrehen

kein Blatt vor
den Mund nehmen

a Er sagt nie, was er meint, er ⬚ .
b Er sagt jedem immer gleich seine Meinung. Er *nimmt kein Blatt vor den Mund* .
c Franz spricht und spricht und spricht, er ⬚ .
d So habe ich das nicht gesagt, da hast du mir mal wieder ⬚ .
e Ihm fällt aber auch immer irgendeine Antwort ein. Er ist wirklich ⬚ .
f Ich habe wieder viel zu viel geredet. Schon meine Oma hat gesagt: ⬚ .
g Gaby denkt nicht lange nach, bevor sie etwas sagt, sie ⬚ . `AB 48` 15

53

ÜG S. 50

__1__ **es: obligatorisch**

Auch wenn der Satz umgestellt wird, kann man *es* nicht weglassen.

a *es* als Pronomen

es kann als Pronomen für ein Nomen, ein Adjektiv bzw. Partizip oder einen Satz stehen.

es ersetzt	Beispiel
ein Nomen und steht im Nominativ	*Das Buch von Tucholsky interessiert mich.* *Es ist sehr humorvoll und ironisch geschrieben.*
ein Nomen und steht im Akkusativ – nicht in Pos. 1	*Das Buch von Tucholsky gefällt mir.* *Ich werde es mir kaufen.*
ein Adjektiv oder Partizip	*Cooper findet die deutschen Autofahrer rücksichtslos.* *Viele sind es auch wirklich.*
einen ganzen Satz	*Viele Leute schwärmen von den vielen Brotsorten hier.* *Ich tue es auch.*

b *es* als Bestandteil eines verbalen Ausdrucks

Das Wort *es* übernimmt die Funktion einer Nominativ- oder Akkusativergänzung.

es als	Beispiel
Ersatzsubjekt bei Verben ■ des Befindens ■ der Themeneinleitung ■ der Witterung ■ für Geräusche	*es geht ihr schlecht, mir gefällt es, es friert mich, es schmeckt* *es gibt, es handelt sich um, es geht um, es kommt darauf an* *es regnet, es schneit, es hagelt, es blitzt, es donnert* *es klopft, es klingelt, es kracht, es pfeift, es rauscht*
Akkusativergänzung – nicht in Pos. 1.	*Er macht es sich leicht. Sie meint es gut mit ihm. Wir lassen es darauf ankommen. Manche Leute haben es immer sehr eilig.*
zweite Nominativergänzung beim Verb *sein*	*Er war es./Er war's. Es sind die kleinen Dinge, die ihm gefallen.* *Es muss nicht immer Kaviar sein.* *Kaviar muss es nicht immer sein.*

__2__ **es: nicht obligatorisch**

es fällt bei Variation der Satzstruktur weg.

a *es* als Repräsentant für einen Nebensatz oder Infinitivsatz

es als Repräsentant für einen	Beispiel	Variation ohne *es*
dass-Satz	*Es ist wahr, dass die Deutschen gern Negatives über sich hören.*	*Dass die Deutschen gern Negatives hören, ist wahr.*
indirekten Fragesatz	*Es ist fraglich, ob seine Rede das Publikum beeindruckt.*	*Ob seine Rede das Publikum beeindruckt, ist fraglich.*
Relativsatz	*Es interessiert mich, was er dazu gesagt hat.*	*Was er dazu gesagt hat, interessiert mich.*
Infinitivsatz	*Ich habe es satt, immer nachzugeben.*	*Immer nachzugeben habe ich satt.*

b Stilistisches *es* am Satzanfang

es	Beispiele	Variation ohne *es*
zur Hervorhebung eines Satzgliedes	*Es sind viele Fans des Fußballklubs da. Es kommen noch weitere.*	*Viele Fans des Fußballklubs sind da. Weitere kommen.*
in Passivsätzen	*Es wird nicht über Geld gesprochen.* *Es wird nicht mit Wein angestoßen.*	*Über Geld wird nicht gesprochen. Mit Wein wird nicht angestoßen.*

Was sehen Sie auf den Fotos?

Was ist hier wohl passiert? Erklären Sie die Situation.

Beschreiben Sie die Körperhaltung.

Wie fühlen sich die Personen?

Was versteht man unter Körpersprache?

AB 52 2

___1___   Welche Probleme hat diese Frau?
Warum wohl?

Das bricht einem das Kreuz

Wenn der Rücken Probleme bereitet, ist für den Schmerz neben psychischen Belastungen auch eine ungesunde Körperhaltung verantwortlich.
Die Seele kann krank machen, aber auch heilen.

In unserer Alltagssprache finden sich zahlreiche Redewendungen, die ausdrücken, wie eng Körper und Seele verbunden sind. So finden wir etwas,
5 das uns komplett missfällt, „zum Kotzen". Eine besondere Rolle bei dieser bildlichen Sprache spielt der Rücken: Wir sprechen vom „Rückgrat, das jemandem gebrochen wurde".
Das ist kein Zufall. Unsere äußere Haltung ist das Spiegel-
10 bild des inneren Zustandes. Die Wirbelsäule übernimmt dabei die Funktion eines zentralen Organs, das Empfindungen auch ohne Worte ausdrücken kann. So empfängt zum Beispiel der glückliche Weltmeister stolz und aufrecht seine
15 Medaille – während der enttäuschte Verlierer die Schultern hängen lässt und zu Boden blickt. Diese Vorgänge laufen meist unbewusst ab.
20 Die perfekte menschliche Alarmanlage heißt Psyche. Sie arbeitet schon ab der Geburt, gehört sozusagen zur Serienausstattung des Menschen. Wann immer durch ungelöste Konflikte, unterdrückte
25 Gefühle oder angestaute Aggressionen die Belastungsgrenze erreicht ist, greift sie ein – zuverlässig und wartungsfrei. Dabei hat sie das Gedächtnis eines Elefanten: Nichts gerät in Vergessenheit, höchstens werden Konflikte
30 vorübergehend ins Unterbewusstsein verdrängt. Einmal abgetaucht, drücken sie jedoch weiter aufs Gemüt und kommen deshalb zum Beispiel als Rückenschmerz wieder zum Vorschein. Der körperliche Schmerz steht dann stellvertretend für
35 die nicht mehr wahrgenommene seelische Pein.

Was die Seele mit dem Rücken macht

Welcher Teil des Rückens Probleme bereitet, hängt unter anderem von dem Grund für die ungünstige Körperhaltung ab. Probleme haben ihre Ursache zum Beispiel nicht sel-
40 ten in einer starken Anspannung der Muskeln, bedingt etwa durch Dauerstress wegen beruflicher oder privater Überlastung. Durch den erhöhten Druck bricht schließlich der äußere Ring der Bandscheibe auf und der innere Kern schiebt sich gegen die seitlich vorbeilaufenden Nerven vor
45 – fertig ist der klassische Bandscheibenvorfall. Solch ein „Vorfall" ist eine Warnung und eine Art Sicherheitsventil, das gefährlichen Überdruck ablässt. Im Klartext bedeutet das: Der Betroffene ist zwar außer Gefecht gesetzt – aber auch von aller Last befreit und damit vorerst vor einer
50 noch ernsthafteren Gesundheitsgefährdung sicher. Psychosomatisch ausgebildete Ärzte gehen davon aus, dass die Seele krank, aber auch gesund machen kann. Allerdings hilft in solchen Fällen eine einfache Auszeit meist nicht. Mit
55 Tabletten ließen sich zwar die Rückenschmerzen behandeln. Doch ist das nicht immer der empfehlenswerte Weg, denn solange der dahinterstehende Konflikt nicht aus der Welt ist, tauchen die
60 Beschwerden immer wieder auf. Psychosomatiker betrachten deshalb nicht nur das Symptom einer Erkrankung, sondern auch die Seele der Patienten. Diese lernen in Gesprächen, sich selber besser zu verstehen und die tiefe-
65 ren Ursachen ihrer Erkrankung gemeinsam mit dem Arzt zu ergründen. Die Folgen: weniger Medikamente, weniger Arztbesuche, weniger Krankenhausaufenthalte – mehr Lebensqualität.
70

P 2 **Ergänzen Sie die fehlenden Informationen in dieser Zusammenfassung.**

Körper und Seele sind eng miteinander (1) _____*verbunden*_____. Wenn

Menschen (2) _____ Konflikte haben, dann macht sich das

oft körperlich bemerkbar. Deshalb kann man zum Beispiel viel an der

Haltung des (3) _____ ablesen. Wenn ein junger, aktiver

Mensch stark gebeugt geht, ist das oft ein Zeichen für ein (4)

_____ Problem. Viele Menschen leiden heutzutage unter

Rückenschmerzen, weil sie im Alltag viel (5) _____ aushal-

ten müssen. Ohne es zu merken, spannen sie dabei dauernd bestimmte

(6) _____ an, was schließlich zu einem Bandscheibenvorfall

führt. Durch diese (7) _____ wird der Betroffene aus der

Stress-Situation herausgeholt und zur Entspannung gezwungen. Für die

Behandlung eines solchen Patienten ist die Erkenntnis von großer

Bedeutung, dass es sich nicht allein um eine (8) _____

Erkrankung handelt. Ein guter Therapeut versucht, die wahren (9)

_____ zu finden. Versteht man den wahren Grund für das

körperliche Symptom, ist die Chance für eine (10) _____

groß.

3 **Wortbildung – nicht trennbare Vorsilben**

(a) Welche Vorsilbe hat die Bedeutung „falsch" bzw. „nicht", welche sagt aus, dass etwas „weggenommen" wird und welche, dass etwas kaputt-geht bzw. aus einem Ganzen viele kleine Teile werden?

(b) Welche Gemeinsamkeit haben diese Vorsilben hinsichtlich ihrer Bedeutung?

Bedeutung			
Vorsilbe	ent-	miss-	zer-
Beispiel	*enttäuschen*	*missfallen*	*zermürbend*

(c) Ergänzen Sie je ein weiteres Beispiel.

(d) Welche der drei Vorsilben passen jeweils zu diesen Verben?
verstehen – wenden – stören – (ein-)fallen – kratzen – achten

(e) Formulieren Sie in Dreier-Gruppen Beispielsätze zu je fünf Verben.

AB 52 3–4

<u>1</u>   Ergänzen Sie die Informationen zu Freud aus dem Text unten.

Wohnadresse bis 1938	Berggasse 19, Wien
Schulbildung	
Studienfach	
Studienorte	
akademischer Titel	
Auslandsaufenthalte	
Zeitgenosse	

Freud, Sigmund

Geb. 6.5.1856 in Freiberg/Mähren;
gest. 23.9.1939 in London

Freuds Vater Jacob Freud betrieb einen Handel mit Stoff und Tucherzeugnissen. In dritter Ehe hatte er Amalie Nathanson geheiratet, die, 5 wie er selbst, aus einer jüdischen Kaufmannsfamilie stammte. Aufgrund wirtschaftlicher Schwierigkeiten verließ Freuds Familie im Jahre 1859 Freiberg und fand in Wien eine 10 neue Heimat. Von wenigen Auslandsaufenthalten abgesehen, lebte Freud 79 Jahre in dieser Stadt.

Nach dem Besuch des humanistischen Gymnasiums begann Sigmund 15 Freud 1873 das Medizinstudium an der dortigen Universität. 1885 wurde er Privatdozent für Nervenkrankheiten. Im selben Jahr reiste er nach Paris, um sich bei dem berühmten 20 Psychiater Jean-Martin Charcot weiterzubilden. Unter dem Eindruck dieser Pariser Erfahrung entdeckte er den zentralen Unterschied zwischen bewussten und unbewussten seeli-25 schen Zuständen.

In seinem Hauptwerk, *Die Traumdeutung* (1900), formulierte Freud seine Erkenntnisse vom unbewussten Seelenleben. Danach publizierte er in 30 rascher Folge eine Reihe bedeutender Schriften. Besonders bekannt und einflussreich wurde *Zur Psychopathologie des Alltagslebens*, wo Freud die Ursachen von alltäglichen Vor-35 gängen wie Vergessen, sich Versprechen oder sich Verschreiben erklärt. Mit diesen Arbeiten gelang es ihm, bedeutende Köpfe in seinen Bann zu ziehen. In der „Psychologischen 40 Mittwochs-Gesellschaft" traf Freud sich seit dem Jahr seiner viel zu späten Ernennung zum Professor 1902 wöchentlich mit einem Kreis von Gleichgesinnten und Schülern in sei-45 ner Wohnung in der Berggasse 19. Eine Amerikareise im darauffolgenden Jahr machte die Psychoanalyse auch in der Neuen Welt bekannt.

Freuds späte Werke wie *Die Zukunft* 50 *einer Illusion* (1927) und *Das Unbehagen in der Kultur* (1930) dokumentieren seinen Weg von der Medizin über die Psychologie zu Philosophie, Sozialpsychologie und Kulturtheo-55 rie. Sein Briefwechsel mit dem Physiker Albert Einstein zeigt, dass er Antworten auf die großen Fragen der Menschheit suchte (*Warum Krieg?*, *1932*).

60 Nach dem sogenannten „Anschluss" Österreichs an das Deutsche Reich wurden Freud und seine Familie zur Emigration gezwungen. Der Schöpfer der Psychoanalyse starb ein Jahr 65 später – 1939 – im Londoner Exil.

<u>GR 2</u>   **Genitiv**   GR S. 66

ⓐ Unterstreichen Sie alle Genitivformen im Text.
ⓑ Ordnen Sie diese Formen in das Raster unten und markieren Sie die Endungen.

Genitiv			
bei Eigennamen	bei Nomen mit bestimmtem Artikel	bei Nomen mit unbestimmtem Artikel	nach Präpositionen
Freuds Vater	Besuch des humanistischen Gymnasiums	Zukunft einer Illusion	Aufgrund wirtschaftlicher Schwierigkeiten

AB 53 5–9

HÖREN

__1__ Was tut eigentlich ein Psychoanalytiker /
eine Psychoanalytikerin?

Wer geht zu ihm/ihr? Warum geht man zu ihm/ihr?

__2__ Was sehen Sie auf dem Foto?

Wer legte sich wohl in welcher Situation auf diese Couch?

__3__ Was erfahren Sie in dem Text zum Foto über

a die Couch?

b das Gesprächsverfahren der Psychoanalyse?

c moderne Formen der Therapie?

Die Couch, auf der alles begann: ein Möbel-
stück als wichtiges Vehikel für die Reise ins
Unbewusste. Die Couch + Freud = Psychoanalyse. Der Patient liegt, der Psychoanalytiker sitzt – für Ersteren unsichtbar – daneben. Der eine redet, wenn ihm gerade was
einfällt, der andere schweigt, zumindest
meistens. Aus dieser „Kur" haben
sich unzählige therapeutische
Richtungen entwickelt. Inzwischen sind allerdings viele Psy-
chotherapeuten vom „klassi-
schen Modell" weit entfernt. Sie
machen Gesprächs-, Gruppen-,
Paar- und Familienarbeit, Rol-
lenspiele, Entspannungs- und
Körperübungen. Die „Ur-
Couch", die Freud von Wien ins
Londoner Exil brachte, ist dort
noch zu besichtigen.

5

__4__ Hörerwartung

In der nun folgenden Radiosendung hören Sie ein Gespräch mit dem
Psychoanalytiker Wolfgang Schmidbauer. Die Sendung trägt den Titel:
„Der Kampf um die Erinnerungen ... Was passiert in der Psychoanalyse?"
Was erwarten Sie von dieser Sendung hauptsächlich?

☐ Historische Dokumente von und über Freud.
☐ Aussagen und Erfahrungen eines praktizierenden Psychoanalytikers.
☐ Meinungen verschiedener Menschen über die Psychoanalyse.

__5__ Hören Sie zunächst eine kleine Szene.

CD|19 **a** Wer spricht hier mit wem?

b Um welche Situation geht es?

c Worüber sprechen die beiden?

d Wie verhalten sich die beiden?

P 6
CD | 20–23

Hören Sie nun die Radiosendung weiter in Abschnitten.

Bearbeiten Sie die Aufgaben nach jedem Abschnitt.
Kreuzen Sie jeweils die richtige Lösung an.

Abschnitt 1

Was sagt Schmidbauer über Freud und die Psychoanalyse?
☐ Er hat diese Lehre entwickelt.
☐ Er hat sie abgelehnt.
☐ Er fand sie besser als die Hypnose.

Abschnitt 2

Schmidbauer erzählt von einem Fall,
☐ den er selber in der Praxis hatte.
☐ den Freud behandelt hat.
☐ den sein Schwager selbst erlebt hat.

Was fehlte der Frau?
☐ Sie konnte sich nicht mehr richtig bewegen.
☐ Sie konnte nicht mehr sprechen.
☐ Sie hatte eine Krankheit an den inneren Organen.

Worin sah Freud die Ursache ihrer Krankheit?
☐ In verbotenen Wünschen, die sie nicht akzeptieren konnte.
☐ In einem Konflikt mit ihrem Schwager.
☐ In ihren Erinnerungen an die Kindheit.

Abschnitt 3

Worauf deuten die freien Assoziationen eines Patienten hin?
☐ Auf wichtige Dinge, von denen eine Person selber nichts weiß.
☐ Auf unwichtige Dinge, die jemand vergessen hat.
☐ Auf Sorgen, die jemand hat.

Was erklärt das Beispiel der Prüfungsangst?
☐ Dass der Mensch Widerstand leisten sollte.
☐ Dass man Angst positiv sehen sollte.
☐ Dass Patienten sich nicht leicht von ihren Störungen trennen.

Abschnitt 4

Warum setzt Schmidbauer die „Couch" ein?
☐ Weil er seine Patienten nicht kontrollieren will.
☐ Weil sie einfach zur Psychoanalyse gehört.
☐ Weil er seine Patienten nicht gerne anschaut.

Die Psychoanalyse eignet sich vor allem für Personen,
☐ die sich selbst erforschen wollen.
☐ die möglichst schnell gesund werden wollen.
☐ die mit einer Gruppentherapie nicht zurechtkommen.

7 Persönlicher Eindruck

a Was fanden Sie in dem Gespräch besonders interessant?
b Was war Ihnen bereits bekannt?
c Was fiel Ihnen an Wolfgang Schmidbauers Sprache auf?

AB 55 | 10–12

WORTSCHATZ – *Geist und Seele*

1   Was verstehen Sie unter den folgenden Begriffen?

a Ordnen Sie die Definitionen aus einem Wörterbuch zu.

der Geist	Fähigkeit, zu verstehen, Begriffe zu bilden, Schlüsse zu ziehen, zu urteilen, zu denken
die Seele	1 Organ, das den Blutkreislauf antreibt und in Gang hält 2 Zentrum der Empfindungen, des Gefühls, auch des Mutes und der Entschlossenheit
das Herz	das, was das Fühlen, Empfinden, Denken eines Menschen ausmacht; Gesamtheit der Bewusstseinsvorgänge; Psyche
der Verstand	1 das denkende Bewusstsein des Menschen 2 Scharfsinn, Esprit 3 innere Einstellung, Haltung 4 überirdisches Wesen

b Wie heißen diese Begriffe in Ihrer Muttersprache?

AB 56 13

2   Redensarten

a Welche der Redensarten aus **b** in der Spalte links sind auf den Bildern wohl dargestellt?

b Was ist wohl mit diesen Redensarten gemeint? Ordnen Sie zu.

eine schwarze Seele haben	unzertrennlich sein, sich einig sein
ein Herz und eine Seele sein	unbedingt alles Mögliche wissen wollen
eine Seele von einem Menschen sein	genau das aussprechen, was der andere auch empfindet
jemandem aus der Seele sprechen	mit großer Lautstärke rufen
jemandem die Seele aus dem Leib fragen	ein sehr gütiger, verständnisvoller Mensch sein
sich die Seele aus dem Leib schreien	über etwas, was einen bedrückt, reden und sich dadurch abreagieren
sich etwas von der Seele reden	einen schlechten Charakter haben

c Nehmen Sie ein einsprachiges Wörterbuch zur Hand.
Bilden Sie Gruppen. Schreiben Sie jeweils zu einem der Wörter „Herz",
„Geist" oder „Verstand" drei Redensarten heraus. Die anderen Gruppen
finden eine Definition.

AB 57 14–15

5

1 Kreative Menschen – woran erkennt man sie?

a) Sind Sie ein kreativer Mensch? Warum (nicht)?

b) Wie stellen Sie sich das Leben eines kreativen Menschen vor?

c) Wie könnte man die eigene kreative Energie steigern?

2 Lesen Sie den Text.

Ordnen Sie die Überschriften (A – J) den einzelnen Tipps (1 – 10) zu.

A	B	C	D	E	F	G	H	I	J
1				6					

A Führen Sie ein Tagebuch.
B Beginnen Sie jeden Tag mit einem Ziel, auf das Sie sich freuen können.
C Bestimmen Sie Ihre Zeiteinteilung selbst.
D Betrachten Sie Probleme unter verschiedenen Blickwinkeln.
E Brechen Sie mit alten Gewohnheiten.
F Fördern Sie Ihr Unterbewusstsein.
G Geben Sie Ihrem Arbeitsplatz eine persönliche Note.
H Lassen Sie sich durch Kritik nicht entmutigen.
I Lernen Sie von Kindern.
J Nehmen Sie sich Zeit für Reflexion.

Kreativität – Zehn simple Erfolgsregeln

1) Nutzen Sie es, um Ihr Leben zu analysieren. Das ist einfacher als das Studium von Börsenkursen und auf lange Sicht viel wichtiger.

2) Dies kann eine Verabredung sein oder ein neues Kleid, ein Konzert oder ein Theaterbesuch. Malen Sie sich dieses Ereignis immer wieder aus. Sie erzeugen dadurch eine positive Grundstimmung für den beginnenden Tag.

3) Pflanzen oder bunte Wände wirken Wunder. Entscheidend ist nicht, wie die Umgebung beschaffen ist, sondern dass man sich mit ihr im Einklang fühlt.

4) Gehen Sie schlafen, wenn Sie müde sind – nicht erst zum Sendeschluss im Fernsehen. Essen Sie, wenn Sie hungrig sind, statt mit der Mittagsglocke in die Kantine zu eilen. Ihre Zeit ist flexibler, als Sie denken.

5) Unermüdliche Aktivität ist sicher lobenswert, aber nicht immer das beste Rezept für Kreativität.

6) Fördern Sie Ihre wenig entwickelten Seiten, statt immer nur das zu tun, was Sie gut können.

7) Am besten tut man dies durch leichte Tätigkeiten wie Spazierengehen oder Schwimmen. Geniale Ideen unter der Dusche oder gar am stillen Örtchen sind keine Seltenheit.

8) Sie haben weniger Vorurteile als Erwachsene, hören besser zu und sind viel aufgeschlossener gegenüber allem Neuen.

9) Das Schicksal vieler Avantgardisten ist, dass sie zunächst nicht ernst genommen werden oder sogar harsche Kritik oder Neid für ihre ungewöhnlichen Ideen ernten. Nutzen Sie die Kritik aber zur Optimierung Ihrer Pläne!

10) Kreative Menschen legen sich nicht vorschnell auf eine Antwort fest. Sie ziehen die unterschiedlichsten Ursachen und Erklärungen in Betracht. Wurden Sie bei einer Beförderung übergangen, denken Sie eventuell: „Das ist passiert, weil mich der Chef nicht mag." Kehren Sie den Satz um! „Es ist passiert, weil ich den Chef nicht mag." Enthält dieser Satz vielleicht ein Körnchen Wahrheit?

3 Welche drei Regeln halten Sie für besonders effektiv?

AB 58 16

1 Beschreiben Sie kurz, was Sie auf den Fotos sehen.

2 Vier Typen

Welche Beschreibung passt zu den Typen?
Wem gehört welcher Schreibtisch?

Der Pedant	verschiebt die Erledigung von Aufgaben gerne auf einen späteren Zeitpunkt, türmt Unterlagen auf dem Schreibtisch auf, trifft ungern Entscheidungen ...
Die Kulturtante	fängt vieles an, führt aber nichts wirklich zu Ende, unordentlich, chaotisch, ...
Der Hochstapler	hält seine Termine immer minutengenau ein, Ordnung ist für ihn das Wichtigste auf der Welt, ...
Der Messie	sucht nach den schönen Dingen in der Umwelt, geht häufig ins Museum, Kino und Theater, besucht in den Ferien mit Freundinnen einen Aquarellkurs ...

AB 58 17

3 Was für ein Mensch arbeitet hier wohl?

Setzen Sie sich zu viert zusammen und spekulieren Sie über die Besitzer dieser Schreibtische. An welchem der vier Schreibtische könnten Sie sofort anfangen zu arbeiten? An welchem auf keinen Fall?

An Schreibtisch A könnte ich sofort / auf keinen Fall / nicht gut ... arbeiten.
Es ist genug / zu wenig ... Platz für ... vorhanden.
Der Besitzer ist ein ordnungsliebender / chaotischer ... Mensch.
Das sieht man daran, dass ...
Er liebt es, ...
Er könnte ... bei ... sein.

4	**Welche Bedeutung haben folgende Aspekte?**

Geschlecht – Alter – Beruf – Kultur – Erziehung

P 5	**Etwas aushandeln**

Zu zweit besprechen Sie folgendes Problem: Sie sollen mit einem sehr schlecht organisierten Menschen ein Arbeitszimmer teilen. Sie hatten bereits mehrere Konflikte: Ihr Kollege kommt häufig zu spät zu wichtigen Terminen, findet wichtige Unterlagen nicht in seinen Papierbergen, viele Aufgaben bleiben unerledigt.

Besprechen Sie mögliche Empfehlungen, die Sie dem Arbeitskollegen geben könnten:

a Vergleichen Sie die Optionen und diskutieren Sie die Vor- und Nachteile der Auswahlmöglichkeiten.

b Begründen Sie Ihren Standpunkt.

c Gehen Sie auch auf mögliche Einwände Ihres Gesprächspartners / Ihrer Gesprächspartnerin ein.

d Kommen Sie am Ende zu einer Entscheidung, welchen Vorschlag Sie machen wollen.

5

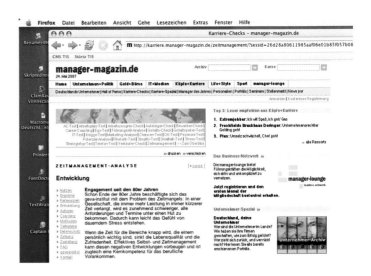

SCHREIBEN

_1_ Wo arbeitet diese Frau?
Welche Probleme hat Sie?

_2_ Von einer Freundin erhalten Sie folgende E-Mail.

> Hallo,
>
> vielen Dank für Deine Mails, die ich gerade erst lesen konnte. Mein Computer war nämlich einige
> Zeit außer Gefecht gesetzt – ich hatte einen schrecklichen Virus. Erst mit der Hilfe eines Freundes
> und dessen nagelneuem Anti-Virenprogramm konnte ich den Kontakt zur Außenwelt wieder aufneh-
> men. Wie ich lese, geht es Dir ausgezeichnet. Das Seminar über Zeitmanagement, das Dein Chef Dir
> spendiert hat, scheint ja Wunder bei Dir bewirkt zu haben. So was würde mir auch mal guttun. Neu-
> lich fand mal wieder ein Arbeitsgruppentreffen bei mir statt. Es war mir wirklich peinlich, denn kei-
> ner hatte auch nur das kleinste Eckchen Platz auf meinem Schreibtisch, um einen Block oder einen
> Stift abzulegen.
> Die Papierberge wachsen und wachsen.
> Leider habe ich zurzeit so viele Termine, dass ich überhaupt nicht zum Aufräumen komme. Letztens
> habe ich sogar einen Zahnarzttermin verschwitzt. Sehr blöd, weil ich nun wieder Wochen auf einen
> neuen Termin warten muss. Irgendwie habe ich ständig das Gefühl, mein Tag ist zu kurz.
> Wie machst Du das bloß? Bei Dir scheint immer alles gut durchorganisiert.
> – Gerade klingelt mein Handy. Bis bald. Ich warte auf gute Ratschläge von Dir.
>
> Herzliche Grüße
> Heidi

Von welchen Probleme berichtet Heidi? Unterstreichen Sie die Textstellen.

_3_ Satzbau – Vorfeld

Unterstreichen Sie die Satzanfänge, die <u>nicht</u> mit dem Subjekt
anfangen. Mit welchen Satzteilen beginnen sie?

Beispiel: Erst mit der Hilfe eines Freundes ...

_4_ Antworten Sie auf die Mail.

Verbinden Sie Ihre Sätze durch variationsreiche Satzanfänge.
Gehen Sie auf folgende Punkte ein:

– Bedanken Sie sich für die E-Mail.
– Berichten Sie, wie Ihr eigener Schreibtisch zurzeit aussieht.
– Erläutern Sie, wie Sie sich die Aufgaben eines Tages einteilen.
– Raten Sie Ihrer Freundin, wie sie richtig aufräumen soll.
– Erklären Sie, wie sie verhindert, dass ihre Papierberge weiterwachsen.

1 **Formen des Genitivs** ÜG S. 14

ⓐ Nach bestimmtem Artikel
Das Adjektiv endet immer auf -en.

	Singular	Plural
maskulin	des bekannten Wissenschaftlers des spannenden Falles des neuen Patienten	der jungen Freunde
neutral	des interessanten Themas	der interessanten Themen
feminin	der kranken Patientin	der kranken Patientinnen

ⓑ Nach unbestimmtem und ohne Artikel
Das Adjektiv endet im Singular meistens auf -en.

	Singular unbestimmter Artikel	Singular ohne Artikel	Plural
maskulin	eines bekannten Doktors eines spannenden Falles eines neuen Patienten	großen Mutes	bekannter Doktoren spannender Fälle neuer Patienten
neutral	eines interessanten Themas	europäischen Geldes	entfernter Ziele
feminin	einer kranken Patientin	hoher Intelligenz	kranker Patientinnen

ⓒ Bei Eigennamen
An Eigennamen wird im Genitiv ein -s angehängt. Der Genitiv steht hier direkt vor dem Nomen, zu dem er gehört.
Beispiel: *Freuds Couch, Lisas Freundinnen*

2 **Präpositionen mit Genitiv** ÜG S. 64

Präposition	Bedeutung	Beispiel
anlässlich	temporal	*anlässlich seines 200. Geburtstags*
während	temporal	*während seiner Ausbildung*
außerhalb, innerhalb	temporal, lokal	*außerhalb der Sprechstunde, innerhalb des Ortes*
abseits, diesseits, jenseits	lokal	*abseits der großen Städte, jenseits des Möglichen*
angesichts	kausal	*angesichts der großen Schwierigkeiten*
aufgrund/wegen	kausal	*aufgrund/wegen seiner Vorgeschichte*
zwecks	final	*zwecks eines besseren Verständnisses*
infolge	konsekutiv	*infolge seiner Erkrankung*
anstatt, statt	modal	*anstatt/statt einer Entschuldigung*
trotz	konzessiv	*trotz guter finanzieller Verhältnisse*
anhand	instrumental	*anhand eines konkreten Falles*
dank	instrumental	*dank seines vielen Geldes*
mithilfe, mittels	instrumental	*mithilfe/mittels eines Lexikons*

3 **Genitiv versus Dativ**

Umgangssprachlich wird der possessive Genitiv nach Eigennamen häufig durch *von* (+ Dativ) ersetzt.
Beispiele: *die Praxis von einem bekannten Doktor, die Couch von Freud, die Probleme von Sabine*
Viele Präpositionen mit Genitiv gebraucht man umgangssprachlich inzwischen häufig mit Dativ.
Beispiele: *während dem Vortrag, statt einem Medikament, wegen dir*

KARRIERE

___1___ **Beschreiben Sie diese Personen.**

a Die Kleidung

gepflegt – elegant – feminin – geschmacklos – konservativ –
unauffällig – maskulin – leger – korrekt – steif – salopp

b Die Ausstrahlung

kühl – freundlich – anziehend – abstoßend – feindselig – sexy –
unauffällig – mütterlich – distanziert – väterlich – überlegen

AB 62 2

___2___ **Geben Sie den Personen eine fiktive Biografie.**
Berücksichtigen Sie: Alter – Familie – Beruf – Freizeitbeschäftigungen.

1   Klassenumfrage zum Thema „Karriere"

Spielen Sie zu zweit eine Befragung durch. Befragen Sie sich gegenseitig. Begründen Sie im Gespräch Ihre Antworten.

FRAGEBOGEN

Frage 1: Welche Bedeutung haben diese verschiedenen Lebensbereiche für Sie?				
Bereich	sehr wichtig	wichtig	weniger wichtig	überhaupt nicht wichtig
a Partnerschaft				
b Familie und Kinder				
c Freunde				
d Beruf				
e Weiterbildung				

Frage 2: Was würden Sie tun, wenn es um Ihr berufliches Fortkommen geht?	Ja	Nein
a den Wohnort wechseln		
b den Kleidungsstil ändern		
c auf Zeit mit Freunden verzichten		
d die Betreuung von Haushalt und Kindern hauptsächlich der Partnerin / dem Partner überlassen		
e auf Zeit mit den Kindern / der Familie verzichten		
f auf Kinder verzichten		
g eine intime Beziehung mit dem Chef / der Chefin eingehen		
h Kollegen anschwärzen		

Frage 3: Warum machen Frauen so selten Karriere?	Ja	Nein
Frauen		
a werden durch Kinder an der Karriere gehindert.		
b werden vom Vorgesetzten am Aufstieg gehindert.		
c werden von Partner und Familie nicht genug unterstützt.		
d werden von Partner und Familie am Aufstieg gehindert.		
e sind nicht skrupellos genug.		
f sind zeitlich nicht flexibel genug.		
g sind nicht durchsetzungsfähig genug.		
h sind nicht mobil genug.		
i sind nicht kompetent genug.		

2   Reaktionen

Welche Fragen waren für Sie schwierig zu beantworten?

3   Auswertung

a Fassen Sie die Ergebnisse der einzelnen Interviewpaare auf einer Folie bzw. an der Tafel zusammen. Wie viele Personen im Kurs haben z. B. bei den einzelnen Aspekten der Frage 1 (**a** bis **e**) mit „sehr wichtig" geantwortet? Welche Aspekte aus Frage 2 und Frage 3 wurden besonders häufig mit „ja" beantwortet, welche mit „nein"?

b Vergleichen Sie die Ergebnisse der Klasse mit der Umfrage im Arbeitsbuch.

AB 62   3

__1__ **Erfolgreiche Frauen**

Kennen Sie eine wirklich erfolgreiche Frau?

ⓐ Was macht sie?

ⓑ Was macht sie so erfolgreich?

Christiane Nüsslein-Volhard, Nobelpreisträgerin, Direktorin am Max-Planck-Institut für Entwicklungsbiologie in Tübingen

__2__ **Was ist an der Frau auf dem Foto besonders?**

> **„Eine Frau kann heute fast alles werden.**
>
> **Voraussetzung ist, dass sie sich eine sehr gute Ausbildung verschafft, mindestens so leistungsbereit ist wie ein Mann und sich nicht von den Zweifeln irritieren lässt, die nahezu jeder Frau anerzogen sind."**

ⓐ Welche Meinung hat sie zu den Berufschancen von Frauen?

ⓑ Worum geht es wohl in den folgenden Artikeln?

__3__ **Lesen Sie die Texte ohne Wörterbuch.**

Unterstreichen Sie beim ersten Lesen interessante Informationen aus den Texten. Sammeln Sie Ihre Ergebnisse anschließend in der Klasse.

6

Text 1

Frauen ...

Sie sind klug, kompetent und kämpferisch. Topqualifizierte Frauen erobern Chefsessel in Behörden und Betrieben, in Parteien, Gerichten und Redaktionen. Wirtschaftsexperten sagen:
5 **Frauen sind das Führungspotenzial der Zukunft.**

Karriere-Männer erkennt man an ihren 2000-Euro-Anzügen, am emotionsfreien Blick und daran, dass sie hin und wieder in der Zeitung stehen. Karriere-Frauen erkennt man gar nicht. Jedenfalls nicht auf Anhieb.
10 Wenn man ihnen irgendwo begegnet, wirken die meisten von ihnen so normal, dass man gar nicht auf die Idee kommt, sie könnten etwas Besonderes sein.

Dabei hätten Karriere-Frauen allen Grund, etwas eingebildeter zu sein. Schließlich hat jede einzelne einen
15 beinharten Aufstiegskampf hinter sich und allen zusammen gehört die Zukunft. Im 21. Jahrhundert, so prophezeien Wissenschaftler, werden typisch „weibliche Führungsqualitäten" gefragt sein: Teamgeist, Flexibilität, Kompromissfähigkeit und Kreativität.

20 **D**ie STERN-Umfrage zeigt, dass für 38 Prozent der Frauen ihr Beruf „sehr wichtig" ist, etwa jede siebte legt großen Wert auf gute Aufstiegsmöglichkeiten und hohes Einkommen. Und weil solche Privilegien nur für Leute mit guter Ausbildung zu haben sind, fängt die Push-up-Generation frühzeitig an zu powern. 25 Mädchen schließen die Schule im Schnitt mit besseren Noten ab als Jungen, sie stellen bereits mehr als die Hälfte der Abiturienten sowie 42 Prozent der Hochschulabsolventen.

„Die Zukunft gehört den Frauen", postuliert denn 30 auch das britische Wirtschaftsmagazin „The Economist" angesichts der Arbeitsmarktentwicklung in den Industrienationen: Der Anteil der Männer an den Erwerbstätigen sinkt, der von Frauen steigt. Die Löhne und Gehälter sind zwar längst noch nicht 35 gleich, die der Frauen steigen aber in den meisten Ländern deutlich schneller. Und Frauen erobern mehr und mehr politische Posten. In Deutschland etwa hat sich die Zahl der Parlamentarierinnen seit 1980 mehr als verdreifacht, und seit 2005 wird die Bundes- 40 regierung zum ersten Mal von einer Frau geführt.

Frauen haben bessere Chancen, etwas zu werden, als jemals zuvor. Das heißt allerdings nicht, dass sie es leicht hätten – so leicht wie Männer. Die weibliche Elite von morgen muss noch immer gegen die Vor- 45 urteile von gestern anrennen, ihr Privatleben generalstabsmäßig organisieren.

„Es ist für Männer immer noch furchtbar, wenn Frauen aufsteigen", sagt die Hamburger Landgerichtspräsidentin Konstanze Görres-Ohde. Und deshalb versuchen viele Männer, die neue Konkurrenz möglichst frühzeitig abzublocken. Noch immer haben Hochschulabsolventinnen es schwerer, einen Einstiegsjob zu finden, als ihre Kommilitonen, wie eine Untersuchung der Universität Erlangen-Nürnberg zeigt. Noch immer landen Frauen auf schlechter bezahlten Stellen mit geringeren Aufstiegschancen.

„Frauen verdienen im Durchschnitt 26 Prozent weniger als gleich qualifizierte Männer", sagt Gerhard Engelbrecht vom Institut für Arbeitsmarkt- und Berufsforschung. „Als wir in den Betrieben fragten, woran das liegt, kamen die ganzen alten Vorurteile – allen voran das falsche Argument, dass Frauen wegen der möglichen Schwangerschaften ein höheres ‚Investitionsrisiko' seien. Dabei ist längst belegt, dass Männer den Betrieben in vielen Berufen nicht länger erhalten bleiben als Frauen, weil sie viel häufiger wechseln, um ein besseres Gehalt zu bekommen."

Text 2

Legen Frauen weniger Wert auf Karriere?

Christine Nüsslein-Volhard fördert mit einer Stiftung junge Wissenschaftlerinnen mit Kindern.
Für ihr Engagement erhielt sie den Ehrenpreis der L'Oréal-Unesco-Partnerschaft.

Im Laufe einer Wissenschaftskarriere sinkt der Frauenanteil von 50 Prozent beim Examen auf zehn Prozent bei den Professuren. Fehlt den Frauen das Karriere-Gen? In der Tat fällt auf, dass Frauen weniger zielstrebig sind und weniger karriereorientiert. Wenn man eine Frau fragt, was sie machen möchte, sagt sie, sie liebt es, im Labor zu arbeiten und Rätsel zu lösen. Fragt man einen Mann, sagt er, er will Professor werden.

Frauen sind also selber schuld, wenn sie nicht weiterkommen? Zum Teil ja. Viele sind noch immer so erzogen, dass sie lieber heiraten und Kinder kriegen möchten. Und wenn sie mit Kindern weiter arbeiten, wird ihnen eingeredet, sie seien Rabenmütter. Diesem Konflikt gehen viele Frauen lieber aus dem Weg.

Sie selber haben keine Kinder. Hätten Sie dieselbe Karriere auch mit Familie machen können? Für einen Nobelpreis hätte es vielleicht nicht gereicht. Aber ich hätte sicher einen anständigen Job bekommen. Mit Kindern hätte ich eher bei meinen Hobbys kürzer getreten.

Sie haben eine Stiftung gegründet. Wie unterstützen Sie die Frauen? Ein Jahr lang zahlen wir ihnen 400 Euro monatlich. So können sie sich eine Haushaltshilfe leisten und sich auf die wissenschaftliche Arbeit konzentrieren.

Hilft Geld denn wirklich? Ja, mehr als man denkt. Wir haben festgestellt, dass Frauen lernen müssen, sich für Geld Sachen abnehmen zu lassen. Wir wollen ihnen zeigen, dass sie nicht alles machen können – den Boden wischen, Babys wickeln und bahnbrechende Entdeckungen machen. Das geht nicht.

Sollten Frauen die männlichen Karrieremuster imitieren, um weiterzukommen? Es kann nicht schaden. Um Karriere zu machen, müssen sie Ehrgeiz und Mut zur Macht entwickeln. Vor allem aber müssen sie, um etwas zu entdecken, viel arbeiten – Versuche machen, Paper schreiben, Vorträge halten.

Text 3

Nicht nachlassen
Von Susanne Geiger

In 940 Jahren, so schätzt ein Schweizer Wirtschaftsinstitut, besetzen Frauen in Industrie, Verwaltung und Politik genauso viele Spitzenpositionen wie die Männer. Besser als gar nichts, könnte man da sagen. Die Rechnung geht allerdings nur auf, wenn das bisherige Tempo beibehalten wird. Doch nicht einmal danach sieht es derzeit aus.

Nach wie vor fehlt es an qualifizierten Teilzeitstellen, mit deren Hilfe Frauen und Männer Beruf und Familie besser vereinbaren könnten. Weil in den Industrieländern viele Millionen Jobs fehlen, wird der Kampf um die vorhandenen Stellen härter. Dabei geht es natürlich nicht um die Verkäuferin, Sekretärin oder Krankenschwester. Wohl aber um die Abteilungsleiterin, die Spitzenbeamtin oder Managerin.

Text 4
Sind Jungen das schwache Geschlecht?

Vorbei die Zeit, als Jungen eine gesicherte Zukunft im Patri-
archat erwartete. Mädchen haben mittlerweile die besseren Perspektiven, sind in Schule und Studium erfolgreicher.

Frank Beuster, Lehrer und Autor des Buches »Jungenkata-
5 strophe – das überforderte Geschlecht«: „In den letzten
Jahrzehnten wurde viel dafür getan, die Stellung der
Mädchen zu verbessern. Jetzt ist es an der Zeit, sich ver-
mehrt um die Jungs zu kümmern. Die Gesellschaft ist insgesamt weiblicher geworden. Feminine Soft Skills[1] wie Kom-
munikationsfähigkeit sind stärker gefragt als männliche Kör- 10
perkraft. Und die Jungen bekommen nicht gezeigt, wie sie
mit den veränderten Anforderungen umgehen sollen, da
ihnen greifbare männliche Identifikationsfiguren fehlen. Viele wachsen ohne einen Vater auf, in der Schule stehen ihnen
vor allem Lehrerinnen gegenüber. Damit aus der Jungenka- 15
tastrophe keine Männerkatastrophe wird, brauchen die Jungen dringend mehr Förderung."

[1] Fähigkeiten im Umgang mit anderen Menschen

P 4   Verstehen von Einzelheiten

Welche Aussagen aus den vier Texten passen zu den Themenschwerpunkten 1–7?

		Text 1	Text 2	Text 3	Text 4
0	Bedeutung des Berufs für Frauen	für 38 Prozent sehr wichtig	weniger zielstrebig u. karriereorientiert		
1	Aussichten des Kampfes um Chancengleichheit				
2	Leistungen von Jungen in der Schule				
3	Gehälter von Frauen und Männern				
4	Möglichkeit für Frauen, dieselbe Stellung zu erreichen wie Männer				
5	Rolle der Kinder für die Karriere von Frauen				
6	Auswirkungen von veränderten Familienstrukturen auf die Kinder				
7	Tempo der Entwicklung hin zur Gleichberechtigung				

AB 63 4–5

5   Geben Sie dem ersten Text einen Titel.

GR 6   Variation: verbal – nominal   GR S. 78

a Suchen Sie in Text 1 die zu den Beispielen passenden Stellen.

verbal bzw. Nebensatz	nominal
Karriere-Männer erkennt man daran, dass sie 2000-Euro-Anzüge tragen.	Karriere-Männer erkennt man an ihren 2000-Euro-Anzügen. (Zeile 6)
	Bei einer zufälligen Begegnung mit ihnen …
	Der Aufstieg von Frauen ist für Männer immer noch furchtbar.
…, dass Frauen ein Investitionsrisiko seien, weil sie schwanger werden könnten.	

b Analysieren Sie: Was hat sich in den Sätzen verändert?

c In welchen Texten verwendet man besonders häufig Nominalstil?
☐ in Fach-/Sachtexten   ☐ in mündlichen Texten   ☐ in literarischen Texten   AB 65 6–11

HÖREN

1 Was ist Personalchefs wichtig?

a Lesen Sie die Informationen zu der Dame auf dem Foto.

> Birgit Straub, Personalchefin, leitet eine Medien-Event-Agentur. Geschäftsfeld ist die Organisation von Präsentationen, Auftritten, Werbeereignissen, Empfängen, Partys, von klein und fein bis zu richtig groß. Zum Beispiel eine Rundreise durch Deutschland mit Showbühne, Bands, Moderatoren, Video-Leinwand etc. oder ein großes Diner für 400 Personen im Saal eines Hotels.

b Wie findet Frau Straub wohl neue Mitarbeiter?

c Welche Kriterien könnten dabei wichtig sein?

P 2 Eine Personalchefin berichtet

CD | 24–28

Hören Sie nun Frau Straub über die Auswahl neuer Mitarbeiter und notieren Sie die wichtigsten Informationen. Lesen Sie vor dem Hören die Aufgaben und antworten Sie in Stichworten.

Abschnitt 1   **Das Unternehmen**
Zahl der festen Mitarbeiter: _____, Zahl der freien Mitarbeiter: _____

Abschnitt 2   **Auswahlkriterien für neue Mitarbeiter**
Welche bezeichnet Frau Straub als wichtig, welche als nicht so wichtig?

	wichtig	weniger wichtig
Qualifikation		
Sympathie		
Aussehen		
Interesse am Projekt		

Abschnitt 3   **Die schriftliche Bewerbung**
Wie wichtig sind die folgenden drei Punkte? Bilden Sie eine Reihenfolge. Ordnen Sie.

☐ Punkt 1   Aussehen der Bewerbungsunterlagen
☐ Punkt 2   Foto
☐ Punkt 3   Lebens- und Berufserfahrung

Welche vier Dinge gehören für Frau Straub zu den Bewerbungsunterlagen?
1. ~~Foto~~   2. _____   3. _____   4. _____

Abschnitt 4   **Das Vorstellungsgespräch**
Wie viele Personen kommen zum Vorstellungsgespräch? _____
Die Personalchefin interessiert: _____

Kreuzen Sie an: Für das Thema „Gehalt" gilt:
☐ Darüber spricht man nicht.
☐ Das bestimmt die Firma, die einstellt.
☐ Das wird zwischen der Firma und dem Mitarbeiter ausgehandelt.

Abschnitt 5   **Die Entscheidung**
Wie soll sich ein Bewerber über die Entscheidung der Firma informieren?

_____

Welches Verhalten gegenüber dem zukünftigen Arbeitgeber ist ratsam?

_____

Was sollte ein Bewerber vermeiden?

_____

__1__   Haben Sie schon einmal eine Gehaltsabrechung erhalten?

Was enthielt sie?

__2__   Die Gehaltsabrechnung

a Vergleichen Sie die beiden Abrechnungen. Wie hoch sind jeweils die Abzüge?

b Bei den Versicherungen bezahlt der Arbeitnehmer jeweils nur ungefähr die Hälfte des Beitrags. Wer finanziert die andere Hälfte?

	Beatrice B. ledig, katholisch, arbeitet als Verkäuferin	Michael K., verheiratet, ohne Konfession, Frau halbtags berufstätig, zwei Kinder, arbeitet als Ingenieur
Monatliches Bruttogehalt	1.650,00	6.000,00
Lohnsteuer	168,33	1.145,50
Kirchensteuer	15,08	–
Solidaritätszuschlag	9,25	75,14
Steuer insgesamt	192,66	1.220,64
Rentenversicherung	160,88	585,00
Krankenversicherung	141,90	567,00
Pflegeversicherung	18,15	51,00
Arbeitslosenversicherung	53,63	195,00
Sozialversicherungen insgesamt, ca. 22 %	374,56	1.398,00
Monatliches Nettogehalt	1.082,78	3.381,36

AB 68   12

__3__   Was wird aus den Abgaben finanziert?

Ordnen Sie zu.

Arbeitslosenversicherung	Alte und Kranke werden zu Hause von einem Dienst oder in einem Heim versorgt.
Kirchensteuer	Der Ehepartner und/oder minderjährige Kinder bekommen nach dem Tod des Gehaltsempfängers monatlich Geld für die Lebenshaltung.
Krankenversicherung	Zuschüsse zum wirtschaftlichen Aufbau in Ostdeutschland.
Lohnsteuer	Jemand verliert seinen Arbeitsplatz und bekommt für eine bestimmte Zeit einen Teil des Gehaltes bezahlt.
Pflegeversicherung	Kinder besuchen einen konfessionellen Kindergarten oder eine konfessionelle Privatschule. Die Eltern bezahlen nur einen Teil der Kosten.
Rentenversicherung	Gehälter von Lehrern und andere Ausgaben für Schulen, Universitäten, Krankenhäuser etc.
Solidaritätszuschlag	Krankenhausaufenthalt nach einem Unfall oder schwerer Erkrankung.
	Man muss zum Arzt. Die Rechnungen schickt der Arzt an eine Kasse.
	Menschen in finanzieller Not, die nicht allein für sich sorgen können und deshalb Sozialhilfe erhalten.
	Monatliche Zahlung nach Ausscheiden aus der Berufstätigkeit.

_4_ Der „kleine" Unterschied

Ergänzen Sie folgende Adverbien im Text mithilfe des Schaubilds.

respektive – allerdings – lediglich – vielmehr –
je nachdem – zumeist – deutlich – sogar

Der „kleine" Unterschied

Frauen mit Vollzeitjob verdienen immer noch (1) _____ weniger als Männer. Die weiblichen Angestellten in der Industrie, im Handel, bei Banken und bei Versicherungen bekommen in Deutschland rund 30 Prozent weniger als ihre männlichen Kollegen. Arbeiterinnen haben 26 % weniger als ihre männlichen Kollegen in der Lohntüte.

Gleicher Lohn für gleiche Arbeit?
Durchschnittlicher Bruttoverdienst von Vollzeitbeschäftigten in Industrie,
Handel sowie Kredit- und Versicherungsgewerbe
je Monat in Euro

Alte Länder / *Neue Länder*

2 667 Euro	weibliche Angestellte	2 176 Euro
3 767	männliche Angestellte	2 823
1 956	weibliche Arbeiter	1 515
2 634	männliche Arbeiter	1 946

Quelle: Statistisches Bundesamt   Stand 2003   © Globus 9084

(2) _____ zeigt unsere Grafik nicht den Lohnabstand bei gleicher Arbeit und Position. (3) _____ sind Frauen häufiger im Dienstleistungssektor beschäftigt als Männer, während zum Beispiel die Bauwirtschaft (4) _____ eine Männerdomäne ist. Hauptgrund der Differenz ist die unterschiedliche Einstufung, (5) _____ wie qualifiziert man ist. 40% der männlichen Angestellten waren in die Leistungsgruppe II eingestuft – aber (6) _____ 15% der weiblichen. Diese Leistungsgruppe setzt besondere Erfahrungen voraus und umfasst verantwortliche Tätigkeiten. (Bei den Arbeitern waren (7) _____ 60% der Männer als Fachkräfte eingruppiert, aber nur 13% der Frauen).
Ein weiterer Grund für das Gefälle sind die Erziehungszeiten, die bei Frauen einen „Karriereknick" und kürzere Betriebszugehörigkeiten verursachen. Wegen besserer Kinderbetreuungsmöglichkeiten (8) _____ kürzerer Ausfallzeiten von Frauen klafft die Einkommensschere in den neuen Bundesländern nicht so weit auseinander wie im Westen.

LESEN 2

<u>1</u>   Sind Sie ein ehrgeiziger Mensch?

Sammeln Sie Eigenschaften und Verhaltensweisen, die Ihrer Meinung nach eine Karriere fördern bzw. ihr hinderlich sind.

karrierefördernd	hinderlich für die Karriere
hohe Motivation,	

<u>P 2</u>   Setzen Sie im folgenden Text jeweils das passende Wort in die Lücken (1) bis (10).

6

Achtung, Stolpersteine!

Sieben Karriere-Fallen
Kompetenz und Motivation sind wichtige Karriere-Faktoren. Wer im Job nach oben will, sollte außerdem Teamfähigkeit und Flexibilität beweisen – und Stolpersteine rechtzeitig aus dem Weg räumen. Die sieben häufigsten Karriere-Fallen und wie man sie (1).

(1)
A verändert
B vermeidet
C umstellt
D besteht

Fehlende Netzwerke
Vitamin B gehört immer noch zu den besten Karrierebeschleunigern. Wer (2) interne als auch externe Kontakte knüpft und pflegt, kann sich besser über aktuelle Entwicklungen im Unternehmen auf dem Laufenden halten. In komplizierten Situationen lassen sich persönliche Kontakte nutzen, um nach Hilfe zu fragen und Verbündete zu mobilisieren. Auch bei Entlassungswellen fällt häufig weicher, wer sich auf gute Kontakte innerhalb des Unternehmens berufen kann.

(2)
A nicht nur
B einerseits
C zwar
D sowohl

(3)
A gefragt
B gesucht
C gebraucht
D verbunden

Anpassungsschwierigkeiten
Im Zeichen der Globalisierung ist Flexibilität (3). Das kann die Versetzung in eine andere Abteilung oder gar an einen anderen Unternehmensstandort bedeuten. Jetzt sind Geduld und Durchhaltevermögen angezeigt. Nutzen Sie die Anfangszeit, um zu beobachten, wer mit wem kann, wer die Fäden in der Hand hält und wer (4) sympathisch ist. Small Talk ist jetzt wichtig, um erste Kontakte zu knüpfen und Ihr Netzwerk auszubauen. Auch wenn Sie sich anfangs etwas verloren und einsam fühlen – nutzen Sie die Chance, die in der Veränderung liegt.

(4)
A zu Ihnen
B mir
C für Sie
D Ihnen

Kollegen-Kleinkriege

Arbeitskollegen kann man sich leider nicht aussuchen. (5) zwei Drittel aller Konflikte in Firmen haben nur zweitrangig mit den Inhalten zu tun. Sie spielen sich vielmehr auf der zwischenmenschlichen Ebene ab. Versuchen Sie ausgleichend auf andere einzuwirken, (6) Sie ruhig bleiben, aber trotzdem bestimmt argumentieren. Mit Vernunft entlarven Sie das unangebrachte Verhalten des Kollegen. Seien Sie selbstkritisch, wenn Sie das Gefühl haben, den Konflikt selber verursacht zu haben.

Angst vor Krisen

Krisensituationen sind Teil des Arbeitsalltags, genauso wie Anerkennung und Erfolg. Gerade in schwierigen Situationen können Sie bei Ihrem Chef punkten und sich durch Einsatzbereitschaft hervortun. Anstatt sich zu verstecken, suchen Sie aktiv nach solchen Herausforderungen. Das beeindruckt (7) und Kollegen gleichermaßen.

Falsche Bescheidenheit

Wenn Sie Ihre Karriere vorantreiben wollen, dann zeigen Sie, was Sie geleistet haben. Mit falscher Bescheidenheit und der Hoffnung, der Chef wird schon von allein draufkommen, was er an Ihnen hat, schaden Sie sich. Damit lässt sich auch erklären, (8) viele Frauen weniger verdienen als ihre männlichen Kollegen. Studien belegen, dass sie im Vergleich weniger aggressive Selbstvermarktung betreiben.

Arbeitsüberlastung

Auf Phasen hoher Arbeitsbelastung müssen Ruhe und Entspannung (9), sonst droht der Burn-out. Stress bei der Arbeit ist häufig unvermeidbar und kann auch zu besonderen Leistungen anspornen. Auf Dauer beeinträchtigt er aber die Leistungsfähigkeit. Versuchen Sie deshalb, gezielt Auszeiten vom Job zu nehmen. Entspannen Sie mit Familie und Freunden oder indem Sie Ihren Hobbys nachgehen.

Mangelnde Teamfähigkeit

Brillante Einzelleistungen sind schön und gut – aber nur von geringem Nutzen, wenn sie nicht dem gesamten Projekt dienen. Zeigen Sie, dass Sie auch im Team stark sind – anstatt dickköpfig auf Ihrer Sichtweise zu beharren, beweisen Sie Flexibilität und Kompromissfähigkeit. Das gemeinsam angestrebte Arbeitsziel (10) immer im Vordergrund stehen. So erarbeiten Sie sich nicht nur die Anerkennung vom Chef, sondern auch den Respekt der Kollegen.

(5)
A Bis
B Rund
C Kaum
D Zu

(6)
A wenn
B anstatt dass
C indem
D vor allem

(7)
A Vorsitzende
B Vorgesetzte
C Angestellte
D Bekannte

(8)
A wozu
B deshalb
C weshalb
D wobei

(9)
A kommen
B entstehen
C folgen
D verfolgen

(10)
A darf nicht
B kann nicht
C müsste
D sollte

___3___ **Vergleichen Sie**

Welche der Fähigkeiten und Eigenschaften, die Sie in Aufgabe 1 notiert haben, finden Sie im Text, welche nicht? Und welche werden außerdem genannt?

AB 68 13–14

P 1

Stress am Arbeitsplatz – was fällt Ihnen dazu spontan ein?

Für eine Recherche zu Arbeitsbedingungen in verschiedenen Ländern sollen Sie die Verhältnisse in Ihrem Heimatland mit denen in Deutschland vergleichen. Verfassen Sie dazu einen informativen Text, der beispielsweise in einer Kurszeitung erscheinen kann.

Gehen Sie in folgenden Schritten vor.

Schritt 1

Eine Grafik erschließen
Suchen Sie aus dem Schaubild die zentralen Informationen heraus.

(a) die größten Belastungen

(b) weniger schwere Belastungen

Stress am Arbeitsplatz

Bewertung der Arbeitsbelastung in den Betrieben auf einer Skala von 1 (= sehr gering) bis 7 (= sehr hoch)

Termin-, Zeitdruck	5,7
Angst vor Arbeitsplatzverlust	5,0 — schlechte Führung
	4,9
mangelnde Arbeitszeit-Planbarkeit	4,5 — mangelnder Informationsfluss
schlechtes Betriebsklima	4,3
	4,2 — häufige Überstunden
störende Arbeitsunterbrechungen	3,9 — unklare Zuständigkeiten
Zeitmangel für Informationsaustausch*	3,8 — mangelnde Aufstiegsmöglichkeiten
Überforderung mangels Qualifikation	3,4 — monotones Arbeiten

© Globus   *über Arbeitsinhalte   Quelle: WSI/Betriebsräte-Befragung 2004   9647

Schritt 2

Beispiele formulieren
Greifen Sie einen Aspekt heraus und erklären Sie ihn mit einem Beispiel aus Ihrem Heimatland oder aus Ihrer Erfahrung.

Schritt 3

Notieren Sie eigene Ideen zu folgenden Punkten:
– Auswirkungen von bestimmten Stressfaktoren auf die Gesundheit der Arbeitnehmer.
– Situation diesbezüglich in Ihrem Heimatland.

Schritt 4

Selbstkorrektur
Ordnen Sie die folgenden Kriterien in den Kasten unten ein:

Ausdruck – Korrektheit – Inhalt – Textaufbau – Stil

Welche der Fragen bzw. Schritte halten Sie für besonders schwierig? Warum?

Kriterium	Frage	Schritt/Beispiel
	Habe ich alle Punkte der Aufgabenstellung behandelt?	▪ Ordnen Sie den Passagen Ihres Textes die Leitpunkte der Aufgabenstellung zu.
	Habe ich den Text klar und übersichtlich gegliedert?	▪ Machen Sie Absätze nach der Einleitung, nach jedem Leitpunkt und vor dem Schlusssatz.
	Habe ich mich elegant ausgedrückt?	▪ Schreiben Sie nicht nur Hauptsätze, sondern Haupt- und Nebensätze. ▪ Verbinden Sie die Sätze miteinander. Beginnen Sie einige Sätze z. B. mit *Deshalb ... – Aber ... – Trotzdem ...*
Ausdruck	Habe ich mich präzise ausgedrückt?	▪ Verwenden Sie möglichst feste Ausdrücke wie *ein Gespräch führen, eine Frage stellen, einen Hinweis geben.*
	Habe ich richtig geschrieben?	▪ Kontrollieren Sie Endungen von Adjektiven und Verben, Wortstellung im Satz, z. B. Verb-Endstellung bei Nebensätzen.

ÜG S. 182

1 Funktion

Sachverhalte lassen sich häufig entweder durch einen verbalen oder durch einen nominalen Ausdruck formulieren. Durch solche Variationen kann man

a einen Text abwechslungsreich gestalten bzw. Wiederholungen im Satzbau vermeiden,

b den Stil eines Textes bestimmen: Je mehr nominale Ausdrücke ein Text enthält, desto komprimierter und abstrakter wirkt er. Nominalstil ist typisch für bestimmte schriftliche Textsorten, zum Beispiel fachsprachliche Texte oder Zeitungstexte mit hohem Informationsgehalt. In der Umgangssprache spielt er eine geringere Rolle.

2 Variationen

a Verbale Ausdrücke – Sätze mit Kasusergänzung

verbal	nominal	Analyse
Die Frauen reagierten entsprechend.	die entsprechende Reaktion der Frauen	Subjekt wird nominaler Genitiv: *Die Frauen* → *(die Reaktion) der Frauen*; Verb wird Nomen: *reagieren* → *Reaktion*; Adverb wird Partizip: *entsprechend* → *entsprechende*
Männer misstrauen* Karriere-Frauen immer noch völlig.	das Misstrauen der Männer gegenüber Karriere-Frauen	Verb mit Dativergänzung wird Nomen mit Präpositionalergänzung: *misstrauen Karriere-Frauen* → *Misstrauen gegenüber Karriere-Frauen*

*weitere Verben mit Dativergänzung	dazugehörige Nomen mit Präposition
jemandem ähneln	die Ähnlichkeit mit jemandem
jemandem antworten	die Antwort an jemanden
jemandem danken	der Dank an jemanden
jemandem helfen	die Hilfe für jemanden
jemandem nützen	der Nutzen für jemanden
jemandem vertrauen	das Vertrauen zu jemandem

b Verbale Ausdrücke – Sätze mit Präpositionalergänzung

verbal	nominal	Analyse
Karriere-Männer erkennt man daran, dass sie 2000-Euro-Anzüge tragen.	Karriere-Männer erkennt man an ihren 2000-Euro-Anzügen.	Präpositionalpronomen + Nebensatz wird Präposition + Nomen: *daran, dass* → *an + Dat.*; Personalpronomen wird Possessivpronomen: *sie* → *ihren*
Jede siebte Frau legt großen Wert darauf, aufsteigen zu können und viel zu verdienen.	Jede siebte Frau legt großen Wert auf Aufstiegsmöglichkeiten und hohen Verdienst.	Präpositionalpronomen + Infinitivsatz wird Präposition + Nomen: *darauf, ... aufsteigen zu können* → *auf Aufstiegsmöglichkeiten*; Adverb wird Adjektiv: *viel* → *hohe*

c Nominale Ausdrücke – Sätze mit Nebensatzkonnektor

verbal – Nebensatz	nominal	Analyse
Frauen seien ein Risiko, weil sie schwanger werden könnten.	Frauen seien wegen der möglichen Schwangerschaften ein Risiko.	Nebensatzkonnektor wird Präposition: *weil* → *wegen*; Modalverb wird modales Adjektiv: *könnten* → *möglich*; Adjektiv wird Nomen: *schwanger* → *Schwangerschaft*
Männer wechseln, um ein besseres Gehalt zu bekommen.	Männer wechseln zur Aufbesserung ihres Gehalts.	Nebensatzkonnektor wird Präposition: *um ... zu* → *zu(r/m)*; Adjektiv wird Nomen: *besser* → *Aufbesserung*; Akkusativergänzung wird nominaler Genitiv: *ein Gehalt* (Akk.) → *ihres Gehalts* (Gen.)

6

KRIMINALITÄT

__1__   **Hypothesen**

a   Warum steht der Mann wohl auf dem Dach?

b   Was hat er vor?

c   Wen sieht er wohl an?

AB 74 **2**

__2__   **Das Foto stammt aus einem Kriminalfilm.**

a   Sehen Sie sich gern Kriminalfilme an? Was ist Ihr Lieblingsfilm?

b   Berichten Sie kurz von einem Kriminalfilm, den Sie kürzlich gesehen haben.

AB 74 **3**

1 **Sehen Sie sich die Zeichnung an.**

a Was erkennen Sie auf dem Bild?

b Was könnte der Mann rechts von Beruf sein?

2 **Globales Verstehen**

a Lesen Sie den Text und beantworten Sie dann die folgenden Fragen.

Frage	Antwort
■ Um was für eine „Branche" geht es in dem Text? Was für einen „Beruf" hat der Erzähler?	
■ Wer sind die „Jungs"?	
■ Worüber beklagt sich der Erzähler?	
■ Wer könnte der fiktive Zuhörer wohl sein?	

Eine Branche im Strukturwandel

Wissen Sie, den Leuten geht's einfach zu gut heute. Warum? Das will ich Ihnen gern erklären. Schauen Sie, ich bin jetzt 20 Jahre im Geschäft. Hatte noch nie etwas mit der Polizei zu tun, ehrlich wahr! Bei mir lief
5 das immer alles ganz korrekt und sauber. Juwelen, Goldmünzen, Silberbestecke, mal 'ne Briefmarken-sammlung – solche Sachen eben. Sie sehen ja, ich habe nicht wahnsinnig viel Platz in meiner Bude[1]. Und das Zeug muss auch immer möglichst schnell raus, gell.
10 Soll hier ja nicht liegen bleiben, bis der Staatsanwalt anklopft, was? Haha! Nicht erschrecken! War nur'n kleiner Witz! Ich hab meinen Jungs immer faire Preise gemacht. Jeder hat seinen gerechten Anteil gekriegt. Da konnte sich keiner beschweren. Juwelen ja! Hab ich
15 den Jungs immer gesagt. Goldmünzen ja! Briefmarken ja! Antiquitäten ja, wenn's kleine und handliche sind. Aber die Leute geben sich heutzutage mit solchen Sachen nicht mehr ab. Was mir meine Mitarbeiter in

letzter Zeit so alles anschleppen, also nee! Gucken Sie mal: ein Whirlpool mit Marmoreinfassung, drei Meter 20 achtzig mal zwei Meter zwanzig. Wiegt tausendvier-hundert Kilo! Tausendvierhundert! Den krieg ich nur mit 'nem Gabelstapler[2] wieder hier raus. Oder werfen Sie mal 'n Blick auf'n Hof raus: Da unter der Plane[3]: 'ne Sportjacht, Vollmahagoni, zweimal 450 PS, Länge 25 18 Meter. Können Sie mir jetzt verraten, wie ich das Ding unbemerkt weiterverkaufen soll? Letztens kommt einer von den Jungs mit 'nem Hubschrauber an. Sag ich: Nee, jetzt reicht's, ich bin ja kein Flugplatz hier! Ihr wisst doch genau, was ich will: Ich will Gold- 30 münzen, Juwelen, Briefmarken und so weiter. Wird der Kerl sauer. Was sollen wir denn machen?, schimpft er. Die Leute sammeln eben keine Briefmarken mehr! Die kaufen sich nur noch so protziges[4] Zeug! Na ja, im Grunde hat er ja recht: Den Leuten geht's einfach zu 35 gut heutzutage.

[1] kleiner Raum / kleines Haus [2] Fahrzeug, mit dem man schwere Gegenstände hebt und transportiert [3] große Plastikdecke [4] angeberisch

b Welche vier Gegenstände, die der Erzähler nennt, finden Sie auf dem Bild oben?

3 **Sprachstil**

In welchem Stil ist der Text geschrieben?
☐ gesprochene Sprache   ☐ Schriftsprache
Geben Sie Beispiele.

AB 75 4

1 Vor Gericht

Folgende Personen sind bei einem Prozess meist anwesend:

der/die Angeklagte – der/die Verteidiger/in – der Staatsanwalt /
die Staatsanwältin – der/die Richter/in – der Zeuge / die Zeugin

a Ordnen Sie diese Bezeichnungen den Personen auf dem Bild zu.

*Angeklagter, erklären
Sie mir, in welcher
Beziehung Sie zu
Frau … standen.*

*Ich kenne den Angeklagten
nur flüchtig aus meiner
Stammkneipe.*

*Ich bin unschuldig, so
glauben Sie mir doch!*

*Mein Mandant
hat für die Tatzeit ein
einwandfreies Alibi.*

*Wir kommen zur Urteils-
verkündung.*

b Wer könnte was sagen?

2 Von der Tat zur Strafe

a Ordnen Sie die folgenden Begriffe den passenden Kategorien 1 bis 5 zu und klären
Sie die jeweilige Bedeutung.

der Angeklagte – der Betrug – zur Bewährung – der Diebstahl – die Eifersucht –
der Einbruch – die Erpressung – der Freispruch – das Gefängnis – die Geiselnahme –
die Geldbuße – die Geldprobleme – das Geständnis – die Haft – die Körperverletzung –
der Mord – die Rache – der Richter – der Staatsanwalt – der Überfall –
der Verdächtige – das Verhör – die Vernehmung – der Verteidiger

1 das Motiv	
2 die Tat, das Delikt	*der Betrug*
3 die Ermittlung und die Festnahme	
4 das Gerichtsverfahren, der Prozess	
5 das Urteil und die Strafe	

b Verbinden Sie die Nomen mit den passenden Verben.

Anklage	ablegen
den Täter	aussetzen
eine Strafe	begehen
eine Straftat, ein Verbrechen	erheben
einen Prozess gegen jemanden	ermitteln
ein Geständnis	fassen/stellen
ein Plädoyer für den Angeklagten	führen
ein Urteil	halten
gegen Tatverdächtige	sprechen/fällen
vor Gericht	stehen
Zeugen	verbüßen
zur Bewährung	vernehmen

c Beschreiben Sie nun mit Ihrer Lernpartnerin / Ihrem Lernpartner einen
fiktiven oder einen realen Kriminalfall von der Tat bis zum Urteil.
Verwenden Sie die Ausdrücke aus den Aufgaben 2 **a** und 2 **b**.

Beginnen Sie beispielsweise so:
*Hans B. brauchte dringend Geld. Er hatte schon häufig beobachtet,
wie der Tankwart jeden Abend Geld in eine Ledertasche packte. …*

AB 75 5–7

7

1   Begriffsklärung

Was versteht man unter dem Begriff „Strafmündigkeit"?
Kreuzen Sie an.

☐ die Bestrafung von Menschen über 18 Jahren
☐ die Strafe, die man für „Mundraub" (Diebstahl aus Hunger) bekommt
☐ das Alter, ab dem man für seine Straftaten verantwortlich gemacht werden kann

2   Einführung ins Thema

a Lesen Sie folgenden Text.

Strafmündigkeit von Kindern

Jugendliche rauben, Heranwachsende bilden Banden, schon Kinder stehlen und begehen Gewalttaten. Im vergangenen Jahr ermittelte die Polizei bundesweit gegen 130 000 tatverdächtige Kinder unter 14 Jahren wegen Diebstahls, Körperverletzung oder anderer Delikte. Vor Gericht gestellt und bestraft werden können sie nicht, denn erst mit 14 Jahren sind sie strafmündig. Die Polizeigewerkschaft fordert nun, dass die Strafmündigkeit auf zwölf Jahre herabgesetzt wird. Dann müssten auch Kinder damit rechnen, dass ihre Taten juristische Konsequenzen haben, zum Beispiel in Form von Verwarnungen, Verkehrs- und Verhaltensunterricht, Entschuldigung bei Geschädigten bis zu Wiedergutmachungsleistungen in der Freizeit und geschlossener Unterbringung.

b Worum geht es in dem Text? Fassen Sie kurz zusammen.

> *Es geht hier um folgendes Problem: ...*
> *In dem Text wird die Problematik von ... angesprochen.*
> *Dabei wird erwähnt, dass ...*
> *Hier wird gefordert, dass ...*

3   Meinungen

a Überfliegen Sie die Stellungnahmen verschiedener Personen. Wer ist positiv, wer ist negativ gegenüber der Forderung „Strafmündigkeit ab 12 Jahren" eingestellt?

A   ### Edith Bothur, Filialleiterin eines Schreibwarengeschäfts

Ich finde das richtig. Die Kriminalität unter Heranwachsenden beschränkt sich ja nicht mehr auf den Diebstahl von Bleistiften. Aber eine Verurteilung durch das Gericht reicht nicht – für ganz schwere Fälle muss auch eine Unterbringung in einem geschlossenen Heim infrage kommen. Vor Jahren habe ich selbst einen Jungen beim Ladendiebstahl erwischt. Der war so frech, dass mir die Hand ausgerutscht ist. Daraufhin sagte er: „Wenn ich dir im Dunkeln begegne, bringe ich dich um!" Der meinte das ernst.

B   ### Heinz Hilgers, Präsident des Kinderschutzbundes

Wer zwölfjährigen Kindern eine geschlossene Unterbringung zumutet, produziert das, was er verhindern will. Geschlossene Unterbringung ist pädagogisch absolut sinnlos und verschlimmert die Situation der Kinder. Für sie müssen die Jugendhilfe und die Schule Angebote unterbreiten, ihre Eltern brauchen Hilfe bei der Erziehung, z.B. müssen therapeutische Wohngemeinschaften angeboten werden. Straßensozialarbeit, spannende Freizeitangebote in den Stadtteilen, in denen sich Cliquen bilden, die Delikte begehen und folglich immer mehr in Schwierigkeiten geraten, sind notwendig. Die Kinder müssen Möglichkeiten zur Mitgestaltung haben, damit sie lernen, verantwortlich zu handeln.

C Jenny und Inga, Schülerinnen, beide 13 Jahre alt

Wir sind für die Senkung des Strafmündigkeitsalters. Wenn man bedenkt, wie viele Jugendliche unter 14 schon Diebstähle begehen, andere Menschen erpressen und verletzen, ist es notwendig, diese Jugendlichen für ihre Tat zur Verantwortung zu ziehen. Wichtig ist, dass die Strafen in Form von Erziehung stattfinden und den Tätern bewusst gemacht wird, dass sie mit ihren Taten zwar Aufsehen unter Mitschülern erregen, aber dass die Folge ihrer Tat die Strafe ist.

D Hans-Dieter Schwind, Professor für Kriminologie

Die 14-Jahres-Grenze ist erst 1923 bei uns eingeführt worden. Bis dahin galt die Zwölf-Jahres-Grenze. In Spanien beginnt die Strafmündigkeit bereits mit sechs Jahren, in England mit zehn Jahren. Dass es nach 1945 bei der 14-Jahres-Grenze blieb, hat mit entwicklungspsychologischen Gründen zu tun, die gut belegt sind. In diesem Rahmen wird bei uns heute sogar die Heraufsetzung auf 16 Jahre gefordert (Schweden: 15 Jahre). Das kam jedoch 1981 für die Justizminister der Länder als Lösung nicht in Betracht, weil dieses andere Extrem in der Bevölkerung keine Akzeptanz gefunden hätte. Man hat also mit den 14 Jahren einen Kompromiss geschlossen. Dabei sollte es bleiben.

b Sammeln Sie die Forderungen und Argumente.

	Forderungen	Argumente
Edith Bothur	*Bestrafung von kriminellen Heranwachsenden*	*Delikte sind nicht mehr nur Ladendiebstahl*
Heinz Hilgers		
Jenny und Inga		
Hans-Dieter Schwind		

GR 4 Nomen-Verb-Verbindungen   GR S. 90

Ergänzen Sie zu den folgenden Nomen aus den vier Texten die Verben und ggf. die Präpositionen.

Präposition	Nomen	Verb
	Angebote	*unterbreiten*
	Delikte	
	Schwierigkeiten	
	Diebstähle	
	Verantwortung	
	Aufsehen	
	Betracht	
	Akzeptanz	
	einen Kompromiss	

GR 5 Umformung

Ersetzen Sie die kursiven Ausdrücke durch Nomen-Verb-Verbindungen.

Wenn Jugendliche plötzlich *in schwierigen Situationen sind*, kann es passieren, dass sie *kriminell werden*. Die Gesellschaft *macht sie für ihre Taten verantwortlich*, auch wenn sie damit nur *auf sich aufmerksam machen* wollen. Manchmal *wird* den Jugendlichen dann *angeboten*, die Angelegenheit durch eine Wiedergutmachungsleistung oder Entschuldigung zu beenden. Für viele Menschen *ist* jedoch nur eine wirkliche Bestrafung jugendlicher Täter *sinnvoll*.

AB 77 8–12

SPRECHEN

P 1   Kurzvortrag

Schritt 1   Inhaltliche Vorbereitung

(a) Lesen Sie noch einmal den Text auf Seite 82 (Aufgabe 2).

(b) Informieren Sie sich im Internet oder in einer Bibliothek:
– Ab welchem Alter kommen Jugendliche in Ihrer Heimat vor Gericht?
– Wofür?
– Welche Strafen sind möglich?

Schritt 2   Stoffsammlung

■ Welchen **Stellenwert** hat das Thema in Ihrer Heimat?
■ Nennen Sie **Fälle**, von denen Sie gehört haben.

Stellenwert formulieren:

Das Thema ist bei uns zurzeit aktuell.
Über dieses Thema wird bei uns zurzeit lebhaft diskutiert.
Das Thema ist bei uns zurzeit nicht von Interesse.

Fallbeispiele nennen:

Bei uns gab es neulich einen interessanten Fall: ...
Neulich ging bei uns ein Fall durch die Presse: ...

Schritt 3   Argumente sammeln

■ Schreiben Sie mindestens zwei Argumente für die aktuelle Rechtslage auf zwei Kärtchen.
■ Schreiben Sie ein bis zwei Argumente von Gegnern auf zwei andere Kärtchen.
■ Wie ist Ihre persönliche Meinung?

Argumente
für Strafmündigkeit
ab 12 Jahren

Immer mehr Kinder
werden kriminell

Argumente für etwas formulieren

Für ... spricht, dass ...

Argumente gegen etwas formulieren

Gegen ... spricht, dass...

Eine persönliche Meinung formulieren

Ich persönlich bin dafür/dagegen, dass ...
Meines Erachtens ist es (nicht) richtig, wenn ...
Aus meiner Sicht ist es (vollkommen) richtig/falsch, dass ...

Schritt 4   Frei und strukturiert sprechen

(a) Setzen Sie sich in Dreiergruppen zusammen. Nacheinander spricht jeder circa drei Minuten zum Thema. Die anderen hören zu und machen Notizen. Achten Sie auf die Strukturierung und verwenden Sie Ihre Kärtchen.

(b) Stellen Sie die interessantesten Beispiele und Argumente aus Ihrer Gruppe im Plenum vor.

SCHREIBEN

1 Personen und Schauplatz in einem Krimi

Sehen Sie sich die Bilder unten an und beschreiben Sie die „Typen".
Wer könnten die „Täter" sein? Wo spielt der Krimi wohl?

2 Fragen zu einem Mini-Krimi

Setzen Sie sich zu zweit zusammen. Sehen Sie sich die Bilder
oben noch einmal an und lesen Sie die Fragen. Schreiben Sie
einen Mini-Krimi, in dem die folgenden Fragen beantwortet werden.

- Was ist Ortwin Kellermaier für ein Mensch? Was ist er von Beruf?
- Was ist Olaf Hartmann für ein Mensch? Was ist er von Beruf?
- Was für ein Verbrechen planen die beiden?
- Warum treffen sie sich im Spielsalon?
- Wovor hat Ortwin Kellermaier Angst?
- Welche Rolle spielt die Wirtin?

3 Schreibschule

Verwenden Sie beim Schreiben möglichst viele der folgenden Wörter.

aber – auch – allerdings – als – bevor – denn – deshalb – jedoch –
kurz darauf – nachdem – plötzlich – zufällig – wenige Minuten zuvor

AB 80 13

4 Lesen Sie Ihre Geschichte in der Klasse vor.

Die Zuhörer/innen notieren die Antworten auf die Fragen oben.

5 Original-Text

Lesen Sie nun im Arbeitsbuch die Geschichte, zu der die Fragen
gehören. Gibt es Ähnlichkeiten mit Ihren Geschichten?

AB 80 14

1 **Lügen**

a Was fällt Ihnen dazu spontan ein?

b Handelt es sich bei den folgenden Situationen um Lügen?

Ich war wirklich rechtzeitig da. Aber der Bus ist mir vor der Nase weggefahren.

Ich wusste nicht, dass Sie auch schon auf diesen Platz gewartet haben.

Ich habe wirklich nicht viele Süßigkeiten gegessen!

2 **Lesen Sie den folgenden Text einmal durch.**

Schließen Sie das Buch und fassen Sie den Inhalt in zehn Sätzen auf einem Blatt zusammen. Vergleichen Sie dann Ihre Zusammenfassung mit der in Aufgabe 3.

Tatort Alltag: Die Lüge

Kleine Lügen gehören zu unserem Alltag ganz selbstverständlich dazu. Im Durchschnitt mogeln wir sogar alle acht Minuten, und das aus den unterschiedlichsten Gründen.

5 „Du sollst nicht lügen" ist ein Gebot, das wir alle von Kindesbeinen an verinnerlicht haben. Doch sogenannte kleine Lügen, wie „Ich muss heute doch länger arbeiten", oder scheinheilige Schmeicheleien, wie „Das Kleid steht dir so gut", oder einfach Angebereien, wie „Also heute habe ich meinem Chef endlich
10 mal die Meinung gesagt ...", sind für uns ganz selbstverständlich. Manchmal sind Lügen im sozialen Leben schlicht notwendig, um schmerzhafte Konflikte zu vermeiden. Aber Lügen haben unterschiedliche Qualitäten. Die moralische Grenze verläuft da, wo 15 man sich und anderen bewusst Schaden zufügt. Es gibt viele Nachteile, die wir in Kauf nehmen müssten, wenn wir immer die Wahrheit sagen würden. Menschen, die darauf schwören, immer ehrlich zu sein, werden in der Regel als Menschen mit schlechtem 20 Benehmen angesehen, die kein sehr gutes Sozialverhalten haben.

An der Universität Heidelberg werden in gestellten Gesprächen Gestik und Mimik untersucht. Kann man einen Lügner durch genaue Beobachtungen entlar- 25 ven? Stimmt es, dass er sich an der Nase kratzt, dass

seine Augen flackern, dass er errötet? Die neuesten Ergebnisse sind verblüffend! Der Psychologe Professor Doktor Klaus Fiedler: „Die Vorstellung, dass einer mit
30 seinem Gesichtsausdruck, der Stimme oder irgendwelchen Bewegungen ausdrückt, dass er die Unwahrheit sagt, ist irreführend. Wir können das sehr gut kontrollieren. Man kann sogar sagen, dass die ersten zwanzig Jahre der Erziehung darin bestehen, dass wir lernen,
35 das zu kontrollieren."
Lügner brauchen vor allem Fantasie. Sie müssen sich hineinversetzen in den, den sie belügen, erkennen, was der andere hören will. Evolutionsbiologen meinen deshalb, die Fähigkeit zu lügen habe zur Entwicklung
40 der Intelligenz beigetragen. Als Erwachsener lernt man, in der Regel die Wahrheit zu sagen und nur zu lügen, wenn es für einen in einer bestimmten Situation nützlich ist. Denn nur wenn wir ehrlich sind, können wir uns gegenseitig auf das, was wir sagen,
45 verlassen.

Ein großer Nachteil der Lüge ist der Stress, den sie mit sich bringt. Eine Lüge zieht bekannterweise die nächste nach sich. Da ist die Gefahr groß, sich im Lügengeflecht zu verstricken. Mit dem Lügendetektor will man diesen Stress messen. Der Polygraf zeigt aber nicht 50 Lügen oder Wahrheit, sondern nur mehr oder weniger starke Erregung an: die elektrische Leitfähigkeit der Haut, den Herzschlag oder die Atmung. Der Polygraf zeichnet diese Erregungszustände des Körpers auf, die dem Betroffenen kaum bewusst sind. Die Aus- 55 sagefähigkeit der Ergebnisse hängt allein von der ausgeklügelten Fragestellung der Psychologen ab – und wie er die zitternden Kurven interpretiert. Anerkannt sind die Ergebnisse allerdings vor den meisten Gerichten dieser Welt nicht, da sie auf menschlicher Ein- 60 schätzung basieren.

_P 3_ Textzusammenfassung

Ergänzen Sie die Zusammenfassung des Textes. Verwenden Sie Wörter aus dem Text oder eigene Ausdrücke.

1. Lügen ist in der christlichen Tradition _____.
2. Trotzdem gehört Lügen zu unserem _____.
3. Allerdings handelt es sich dabei meistens um harmlose Notlügen oder Schmeicheleien, die für unser soziales Zusammenleben _____ sind.
4. Ein Experiment hat gezeigt, dass man Lügner _____ an der Körpersprache erkennen kann.
5. Dazu funktioniert _____ des Menschen zu gut.
6. Forscher sehen im Lügen sogar eine _____ Eigenschaft.
7. Denn Lügen hat viel mit _____ zu tun.
8. Lügen sind aber für die Lügner nicht angenehm, denn sie verursachen _____ .
9. Diese Tatsache nutzt der _____ aus.
10. Er zeichnet körperliche _____ an der Haut, an Herzschlag und Atmung auf, die beim Lügen entstehen.

AB 81 ▪ 15

_GR 4_ Satzbaupläne

ⓐ Ergänzen Sie die fehlenden Satzteile aus dem Text (Zeilen 36 ff. und 58 ff.).
ⓑ Was fällt Ihnen bei der Besetzung des Vorfelds bzw. Nachfelds auf?

Position 1 Vorfeld	Verb 1	Mittelfeld	Verb 2	Nachfeld
Sie	müssen	sich	hineinversetzen	
		die Ergebnisse allerdings vor den meisten Gerichten		

AB 81 ▪ 16

HÖREN

__1__   Volksmund

„Lügen haben kurze Beine"

„Wer dreimal lügt, dem glaubt man nicht,
und wenn er auch die Wahrheit spricht."

(a) Welche „Moral" steckt hinter diesen Sprichwörtern?

(b) Wie finden Sie am besten heraus, ob jemand die Wahrheit sagt oder
nicht? Geben Sie einige Beispiele.

__2__   **Beschreiben Sie die Personen auf dem Foto.**

(a) Was wird hier wohl gemacht?

(b) Wie nennt man das Gerät, das hier eingesetzt wird, in Ihrer Muttersprache?

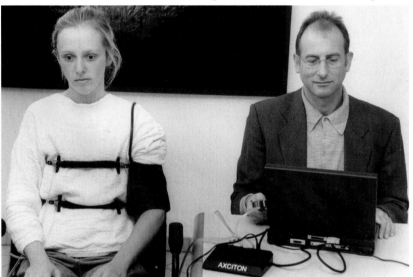

__3__   **Lesen Sie dazu folgenden Auszug aus einem Zeitungsbericht.**

(a) Wie beurteilen die meisten deutschen Juristen den Einsatz von „Lügendetektoren"?

(b) Welche Chance sieht der Journalist Dagobert Lindlau beim Einsatz solcher Geräte?

Wenn deutsche Juristen auf den Lügendetektor angesprochen werden, runzeln sie die Stirn und blicken skeptisch drein. Mit der automatisierten Wahrheitssuche wollen die meisten von ihnen nichts zu tun haben. Ame
5 rikanische Kollegen, die den Polygrafen ganz selbstverständlich als eines von vielen Instrumenten der Verteidigung einsetzen, dienen ihnen nicht als Vorbild. Das Gerät ist hierzulande zur Rechtsfindung verboten. Warum also darüber nachdenken? Der Münchner TV-Kriminalrepor
10 ter Dagobert Lindlau ermunterte vor einigen Tagen in einer Magazinsendung zum Umdenken. „Der Lügendetektor soll nicht als Schuldbeweis eingeführt werden. Er soll einen fälschlich Verdächtigten schon in der Phase der polizeilichen Ermittlungen vom Verdacht befreien. Gerade der unterprivilegierte Verdächtige, der sich nicht 15 herausreden und keinen teuren Anwalt bezahlen kann, hat es schwer, aus der Mühle der Justiz herauszukommen. Außerdem spart die Polizei dann Arbeit und Zeit und kann sich auf die Verfolgung der tatsächlichen Täter konzentrieren." 20

HÖREN

P 4
CD | 29–32

Sie hören nun einen Radiobericht.

Sie hören den Bericht zweimal. Lesen Sie vor dem ersten Hören nur
die Fragen zu den Aufgaben und noch nicht die Sätze zum Ankreuzen.

Beim zweiten Mal hören Sie den Text in Abschnitten. Lesen Sie vor dem Hören eines
Abschnitts jeweils die Fragen und kreuzen Sie nach dem Hören die Antworten an.

Abschnitt 1 **a** Wo wurde ein Lügendetektor in Deutschland bereits eingesetzt?
☐ In einem Scheidungsverfahren.
☐ In einem Fall von Kindesmisshandlung.
☐ In einem Mordfall.

b Was unternahm der Familienrichter zur Lösung des Falles?
☐ Er schlug vor, den angeklagten Vater von einem Lügendetektor testen zu lassen.
☐ Er wollte den Vater dazu überreden, sein Kind nicht mehr zu sehen.
☐ Er glaubte dem Vater nicht und verurteilte ihn.

Abschnitt 2 **c** Wie funktioniert ein Lügendetektor?
Die getestete Person
☐ muss sich Anschuldigungen anhören und wird beobachtet.
☐ muss Fragen beantworten. Dabei wird der Ring um den Brustkorb beobachtet.
☐ beantwortet Fragen; dabei werden Körperreaktionen gemessen und ausgewertet.

d Welches Ergebnis zeigte sich im erwähnten Fall?
☐ Dass der Vater die Wahrheit gesagt hatte.
☐ Ein unklares.
☐ Dass der Vater gelogen hatte.

Abschnitt 3 **e** Was halten die Familienrichter vom Polygrafen?
☐ Sie sind sich einig, dass man ihn einsetzen sollte.
☐ Sie sind unterschiedlicher Meinung.
☐ Die meisten Familienrichter lehnen ihn ab.

f Wie sicher sind Lügendetektoren?
☐ Höchstens in 15% der Fälle gibt es falsche Resultate.
☐ 95% der Ergebnisse sind richtig.
☐ 75% der Ergebnisse erfordern weitere Tests.

Abschnitt 4 **g** Wann kommt ein Lügendetektor zum Einsatz?
☐ Immer auf Wunsch des Beschuldigten.
☐ Auf die Entscheidung eines Familienrichters hin.
☐ Auf Anordnung des Verfassungsgerichts.

h Was muss man vermeiden?
☐ Dass Schuldige mithilfe eines Lügendetektors freigesprochen werden.
☐ Dass die Geräte so häufig eingesetzt werden wie in den USA.
☐ Dass das Ergebnis eines Lügendetektortests der einzige Beweis vor Gericht ist.

AB 82 17–18

5   Diskutieren Sie in Kleingruppen.

Was darf ein Gericht alles zur Wahrheitsfindung einsetzen? Was nicht?
Wann wird die Würde des Menschen verletzt?
Führen Sie Beispiele an, die Ihre Argumentation unterstützen.

1 Struktur

ÜG S. 130, 198

Bei Nomen-Verb-Verbindungen trägt das Nomen die Hauptbedeutung.

Nomen im Akkusativ		Nomen mit Präposition	
ohne Artikel	mit Artikel	ohne Artikel	mit Artikel
Abschied nehmen	einen Diebstahl / ein Delikt begehen	zu Ende bringen	zum Ausdruck bringen
Abstand halten	die Möglichkeit haben	in Schwierigkeiten geraten	zur Kenntnis nehmen
Anklang finden	einen Kompromiss schließen	unter Druck stehen	im Irrtum sein
Aufsehen erregen	ein Angebot unterbreiten	in Kraft sein	zum Schluss kommen
Angst haben	ein Urteil fällen/sprechen		zur Verantwortung ziehen
Rücksicht nehmen			zur Verfügung stehen

2 Bedeutung

Das Verb bestimmt die Struktur des Ausdrucks, ansonsten hat es
nur noch eine „Restbedeutung". Die wichtigsten Restbedeutungen
sind z. B. Aktiv, Passiv, Beginn, Dauer oder Ende einer Handlung.

Häufig gibt es, vom Nomen abgeleitet, ein Verb, das der Bedeutung
der Nomen-Verb-Verbindung entspricht.
Beispiel: *ein Angebot unterbreiten = anbieten*
Manchmal gibt es dabei auch Bedeutungsverschiebungen.
Beispiele: *in Verbindung treten – verbinden* (Nomen-Verb-Verbindung:
speziellere Bedeutung)

Nomen-Verb-Verbindung	einfaches Verb	Nomen-Verb-Verbindung	einfaches Verb/Adjektiv
aktivische Bedeutung		**Bedeutung: Beginn/Ende der Handlung**	
zum Ausdruck bringen	ausdrücken	zur Vernunft gelangen	vernünftig werden
in Bewegung bringen	bewegen	zu der Überzeugung gelangen	langsam überzeugt sein
eine Antwort geben	antworten	in Abhängigkeit geraten	abhängig werden
sich Mühe geben	sich bemühen	in Bewegung geraten	sich zu bewegen beginnen
in Anspruch nehmen	beanspruchen	in Gefahr geraten	gefährdet werden
einen Antrag stellen	beantragen	in Wut geraten	wütend werden
Gebrauch machen	gebrauchen	in Angst versetzen	Angst machen
sich Gedanken machen	(nach)denken	in Erstaunen versetzen	erstaunen
passivische Bedeutung		**Bedeutung: Dauer einer Handlung**	
zum Ausdruck kommen	ausgedrückt werden	im Sterben liegen	gerade sterben
zur Sprache kommen	angesprochen werden	im Streit liegen	zerstritten sein
Beachtung finden	beachtet werden	in Betrieb sein	-
Unterstützung finden	unterstützt werden	in Kraft sein	-
unter Anklage stehen	angeklagt werden	in Gang halten	-
Anwendung finden	angewandt werden/ angewendet werden		

3 Verwendung

Nomen-Verb-Verbindungen werden hauptsächlich in schriftlichen Äußerungen
verwandt, z. B. in den Bereichen Justiz, Politik, Verwaltung usw.

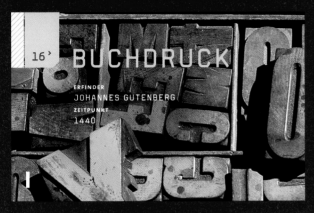

16'
BUCHDRUCK
ERFINDER
JOHANNES GUTENBERG
ZEITPUNKT
1440

1

2

3

ERFINDER
SCHERING AG
ZEITPUNKT
1961

4

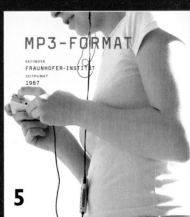

MP3-FORMAT
ERFINDER
FRAUNHOFER-INSTITUT
ZEITPUNKT
1987

5

8

RADIOACTIVE II
CONTENS
ACTIVITY

6

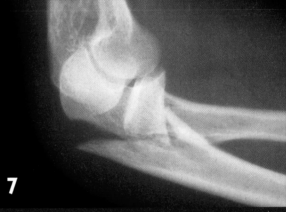

7

___1___ Erfindungen, technischer Fortschritt
Wie haben diese Erfindungen unser Leben verändert?
Welche wird uns in der Zukunft noch stark beeinflussen?

___2___ Ordnen Sie diese Erfindungen zu.

☐ Verkehr/Transport   ☐ Unterhaltung/Freizeit

☐ Haushalt   ☐ Informationstechnik

☐ Kommunikation   ☐ Energieversorgung

☐ Medizin

__1__ Welche Erfindungen sind in den folgenden Texten erklärt?

Ergänzen Sie die Informationen.

Wer? Erfinder/Erfinderin	Wann? Jahr	Was? Erfindung
	1885	
	1903	
	1908	
	1911	
	1941	
	1977	

8

Innovationen, die unseren Alltag verändert haben

Über ihren Geschmack lässt sich streiten, über ihre Wirkung nicht. Ob Kräuter, Minze oder Sportgel, mindestens zweimal am Tag sorgt sie für erfrischende Hygiene im Mundraum. Verantwortlich für gesunde Zähne ist der
5 Apotheker Ottomar von Mayenburg. In einem kleinen Dachbodenlabor über der Dresdener Löwen-Apotheke experimentiert er 1907 mit Pulver, Mundwasser und ätherischen Ölen. Angereichert mit etwas Pfefferminze für den guten Geschmack füllt er sein Mittel in biegsame
10 Metalltuben ab. Auf der ersten internationalen Hygieneausstellung 1911 in München wird es mit einer Goldmedaille ausgezeichnet.

„Hält kalt, hält heiß – ohne Feuer, ohne Eis."
Mit diesem selbst kreierten Werbespruch
15 bringt der Glastechniker Reinhold Burger den zweifachen Nutzen seiner Erfindung auf den Punkt. Jahrelang beschäftigt er sich mit der isolierenden Wirkung doppelwandiger Glasgefäße. 1903 kommt sein Wissen zur
20 Anwendung: Der Eismaschinenfabrikant Carl von Linde benötigt isolierende Behälter. Burger verbessert daraufhin die Form der Gefäße und sorgt dafür, dass die Silberschicht zur Reflexion der Wärmestrahlung
25 nicht abblättert. Zum Schutz des Glasgefäßes versiegelt er seinen Behälter mit einem leichten Metallgehäuse.

Schon zu Beginn der Sechzigerjahre setzen große Finanzdienstleister alles auf eine Karte aus Plastik. Da
30 aber weder Unterschrift noch Magnetstreifen den Sicherheitsansprüchen der bargeldlosen Zahlung entsprechen, wird bald der Ruf nach einer intelligenten Karte laut. Jürgen Dethloff und Helmut Gröttrup erweisen sich als hellhörig: 1968 reichen sie ein Patent für eine Karte mit
35 integriertem Schaltkreis ein, 1985 wird die erste Karte mit einem Mikroprozessor vorgestellt.
40 Heute ist diese Erfindung aus unserem Alltag nicht mehr wegzudenken: Telefon-,
45 Kredit-, Scheck- und Patientendaten befinden sich in Plastik verpackt in unserer Brieftasche.

Unfreiwillige Hilfestellung bei der Suche nach einem reinen Kaffee-
50 genuss liefern die beiden Kinder der Erfinderin Melitta Bentz. Die
Mutter zweier Söhne zweckentfremdet im Jahre 1908 die Löschblät-
ter aus den Schulheften ihrer Kinder. Als Einlage in einem durch-
löcherten Messingtopf bieten sie Schutz vor ungeliebtem Kaffeesatz
in der Kaffeetasse. So entsteht das Grundprinzip des ersten Exem-
55 plars: Am 8. Juli 1908 erteilt das kaiserliche Patentamt zu Berlin
Gebrauchsmusterschutz für diese Erfindung.

Der Bauingenieur Konrad Zuse aus
Berlin hasst Mathematikaufgaben.
Deshalb beginnt er mit der Konstruk-
60 tion eines rein mechanischen Rechen-
automaten. Der Speicher des Z1
besteht aus Metallplättchen, die Stifte
in zwei verschiedene Positionen
schieben – auf Null und Eins. In der
65 Folgezeit gelingt ihm der Sprung zu
einem elektronischen Rechenwerk, Z3
genannt, das die vier Grundrechenar-
ten in drei Sekunden ausführt. Und,
oder, nicht: Mit diesen drei logischen
70 Schaltungen, und ausgestattet mit
2.600 Relais, kommt 1941 der erste
voll funktionstüchtige programmier-
bare Rechner zum Einsatz.

Heute sind 250 Kilometer pro Stunde auf zwei Rädern keine
75 Seltenheit, früher musste man sich mit 0,5 PS und einer
Geschwindigkeit von zwölf Kilometern pro Stunde begnü-
gen. Gemeinsam mit Wilhelm Maybach konstruiert Gottlieb
Daimler 1885 den Reitwagen. Betrieben wird das hölzerne
Gefährt von der sogenannten Standuhr – einer verkleinerten
80 Form des Viertaktmotors. Von Fahrkomfort kann zu diesem
Zeitpunkt noch keine Rede sein. Die Reifen sind aus Holz,
kleine Stützräder geben Halt. Immerhin ist der Reitwagen
mit einer Sitzheizung ausgestattet: Der unter dem Sattel
befindliche Auspuff wärmt zuverlässig das Hinterteil des
85 Fahrers. Der Reitwagen stellte einen wichtigen Schritt auf
dem Weg zu einer weltweiten Fahrzeugmotorisierung dar.

8

GR 2   Verben/Adjektive/Nomen mit Präpositionen   GR S. 102

a Unterstreichen Sie in den Texten die Präpositionen und suchen Sie die dazugehörigen
Adjektive/Verben/Nomen. Arbeiten Sie in Gruppen.

Präposition					
+ Dativ					+ Akkusativ
aus	mit	nach	von	vor	für
	experimentieren				sorgen

AB 86 2

b Welches Verb hat die Ergänzung „als" + Adjektiv, welches die Ergänzung
„über" + Adjektiv?

3   Nennen Sie eine Erfindung, die aus Ihrer Sicht besonders
wichtig war.

Beginnen Sie Ihre Präsentation so:
Wussten Sie schon, dass ... von ... erfunden wurde?

AB 86 3–4

SCHREIBEN

In Ihrer Kurszeitung soll es mehrere Seiten zum Thema
Innovationen, die jeder kennen sollte geben. Sie wollen dafür einen
Beitrag von mindestens 180 Wörtern Länge schreiben.

Schritt 1 ### Ein Thema auswählen

Sehen Sie die Bilder an. Über welche dieser Innovationen wissen
Sie etwas?

Schritt 2 ### Assoziationen sammeln

Sammeln Sie nun Stichworte zu den fünf Fragen.

1. Welches Produkt/Thema haben Sie ausgewählt und warum?
2. Wo und wie kommt es zum Einsatz?
3. Wie hat es das Leben der Menschen verändert? Geben Sie ein
   Beispiel aus Ihrem persönlichen Leben.
4. Welche Gefahren sind mit seinem Einsatz verbunden?
5. Wie wird der Umgang mit diesem Produkt in 25 Jahren wohl aussehen?

Schritt 3 ### Vom Stichwort zum Text

Ordnen Sie die folgenden Schritte und begründen Sie Ihre Reihenfolge.

	Schritt
ⓐ Ordnen Sie Ihre Stichworte, Assoziationen in sinnvolle Gruppen bzw. nach den bereits vorgegebenen Leitpunkten.	
ⓑ Überarbeiten Sie Ihren Text. Stellen Sie zum Beispiel einzelne Sätze oder Satzteile so um, dass der Text besser fließt.	
ⓒ Formulieren Sie die Stichpunkte aus. Schreiben Sie zunächst auf Konzeptpapier.	
ⓓ Kontrollieren Sie Ihren Text vor der Übertragung in die Reinschrift.	
ⓔ Sammeln Sie vor dem Ausformulieren zuerst auf einem Blatt Stichpunkte, Assoziationen usw., die Ihnen spontan zum Thema einfallen. Das kann auch in Ihrer Muttersprache geschehen.	

Schritt 4 ### Ausformulieren

Welche dieser Redemittel passen zu den fünf Fragen in Schritt 2? Nummerieren Sie.

☐ *Ich persönlich verwende/gebrauche ... zum Beispiel, wenn ich ...*

1 *Der/Die/Das ... gehört ohne Zweifel zu den wichtigsten Innovationen des 20. Jahr-
hunderts.*

☐ *Doch das/die/der ... bringt nicht nur große Vorteile/Erleichterungen/Verbesserungen ...*

☐ *Es/Er/Sie bringt auch einige Gefahren mit sich. So kann es vorkommen, dass ...*

☐ *Ich bin ziemlich sicher, dass die/der/das ... auch in 25 Jahren noch einen Platz in
unserem Alltag einnehmen wird. Allerdings wird sie/er/es wohl ...*

☐ *Ohne diese ... ist der Alltag zumindest bei uns hier in ... kaum noch vorstellbar.*

☐ *Vor der Einführung/Erfindung dieses Gerätes mussten wir ... Das ist seit der Erfindung
vorbei.*

☐ *Wir gebrauchen es beinah täglich, wenn wir ...*

AB 87 5

1 **Wortfelder**

Ergänzen Sie Wörter aus
den Kurztexten auf
den Seiten 92–93.

der Naturforscher

die Expedition — **die Wissenschaft** — *die Lehre*

entwickeln

2 **Was studiert man an der Universität?**

a Ordnen Sie zu.

Architekt	bau
Betriebs	ie
Bio/Psycho/Theo/Zoo	logie
Chem	matik
Elektro	ra
Infor	sik
Ju	sophie
Kunst	technik
Maschinen	wirtschaft
Mathe	wissenschaft
Medi	zie
Pharma	zin
Philo	geschichte
Phy	ur

Betonung:

Infor<u>ma</u>tik – Mathema<u>tik</u>

b Ordnen Sie die Studienfächer zu.

Naturwissenschaften	
Gesellschaftswissenschaften	
Geisteswissenschaften	
Ingenieurwissenschaften	

3 **Tätigkeiten**

a Ordnen Sie zu und bilden Sie Beispielsätze. Manchmal gibt es mehrere
Möglichkeiten. Beispiel: *Der Arzt verschreibt ein Medikament.*

der Arzt, die Ärztin	abschließen	ein Medikament
der/die Forscher/-in	analysieren	eine Erfindung
der/die Wissenschaftler/-in	behandeln	eine Krankheit
	durchführen	eine Studie
	machen	eine Untersuchung
	bekämpfen	einen Fall
	dokumentieren	einen Patienten
	heilen	einen Test
	patentieren lassen	einen Versuch
	untersuchen	
	verabreichen	
	verschreiben	

b Erweitern Sie nun schrittweise Ihre Beispielsätze.
*Der Arzt verschreibt dem Patienten ein Medikament. – Der Arzt verschreibt
dem Patienten ein sehr teures Medikament. – Der Arzt verschreibt dem
Patienten ein ganz neues und sehr teures Medikament namens Intellisan.*

AB 88 6–7

HÖREN

1   CD | 33

Eröffnungsrede zu einer Fachtagung.

Sie hören jetzt den Anfang einer Rede. Lösen Sie die Aufgabe zu Abschnitt 1.

Abschnitt 1   **a**   Um was für eine Tagung handelt es sich?

☐ Um eine Tagung eines Pharmakonzerns.
☐ Um einen Fachkongress an der medizinischen Fakultät einer Universität.
☐ Um eine Jubiläumsveranstaltung eines Pharmakonzerns.

b   Was für ein neuartiges Medikament könnte „Präparat X" sein? Spekulieren Sie.

c   Womit macht der Redner deutlich, dass es sich um ein bedeutendes Medikament handelt?

2   CD | 34–35

Lesen Sie jetzt die Aufgaben zu Abschnitt 2 und 3.

Hören Sie dann die Rede zu Ende. Lösen Sie die Aufgaben.

Abschnitt 2   **a**   Der Redner zitiert ein Sprichwort. Ergänzen Sie:
„Gegen .... kämpfen selbst .... vergebens."

b   Worauf bezieht der Redner dieses Sprichwort?

c   Von welchem Produkt spricht der Redner? Kreuzen Sie an.

Abschnitt 3   **d**   Was ist die Wirkung dieses Medikaments?

e   Wie wird die Rede beendet?
☐ Mit einer Danksagung.
☐ Mit einem Zitat.
☐ Mit einem Ausblick auf den nächsten Redebeitrag.

AB 89   8

3

Was meinen Sie?

Wird es so ein Medikament einmal geben?

P **4**   CD | 36

Hinweise zum Ablauf der Tagung

Lesen Sie die Angaben unten. Hören Sie dann die Hinweise zum Ablauf der Tagung und füllen Sie die Tabelle aus.

	Wann?	Wo?
Mittagessen	1230 – 14	Res ARISTOT
Forum 1	1415	K Con
Forum 2	1445	in der Aula
Abendessen	18	IN HOT
Abendveranstaltungen		
• „Die Kluge"	20	OP H
• „Viel Lärm um nichts"	20	KAMMER SPIEL
Busabfahrt	19 30	D U D H

8

1 Thema der Rede

Sie sollen eine drei- bis fünfminütige Rede halten.
Wählen Sie aus den folgenden Themen aus.

Sie sind Vorsitzende/r der Internationalen Steinzeitpartei (ISP). Ihr oberstes Ziel ist es, die moderne Technik völlig abzuschaffen. Halten Sie eine Wahlkampfrede.	Sie sind Bürgermeister/in einer Stadt, die touristisch nichts zu bieten hat. Begrüßen Sie eine große Gruppe von Feriengästen.	Es ist erwiesen, dass Pflanzen, mit denen man spricht, besser gedeihen als solche, die man nicht beachtet. Halten Sie eine aufmunternde Rede an Ihre Zimmerpflanzen.	Im Gerichtssaal. Der Staatsanwalt hat in seinem Plädoyer gegen Sie gerade fünfzehn Jahre Haft wegen Schwarzfahrens gefordert. Als Angeklagter haben Sie das letzte Wort.

2 Vorbereitung

Schritt 1
Zielgruppe

  ⓐ Für wen sprechen Sie? Welche Erwartungen haben die Zuhörenden?

Schritt 2
Ziel der Rede

  ⓑ Um was für eine Art von Rede handelt es sich?
Beispiele: *Überzeugungsrede, Sachvortrag, Begrüßungsrede, Appell*

  ⓒ Was möchten Sie mit der Rede erreichen?

Schritt 3
Stoffsammlung

  ⓓ Sammeln Sie alles, was Ihnen zu dem Thema einfällt, ohne es zu ordnen oder zu bewerten.

  ⓔ Schreiben Sie Ihre Ideen auf Kärtchen. Kennzeichnen Sie jede Karte mit einem Stichwort.

Schritt 4
Stoffauswahl

  ⓕ Sortieren Sie Ihre Kärtchen. Welche Gedanken sind für Ihre Rede von Bedeutung, welche nicht?

  ⓖ Ordnen Sie die wesentlichen Punkte und machen Sie eine Gliederung: Einleitung, Hauptteil, Schluss.

  ⓗ Überlegen Sie sich passende Redemittel für jeden Gliederungspunkt.

3 Körpersprache

Sehen Sie sich die Bilder an. Welcher Redner nimmt eine passende Körperhaltung ein? Begründen Sie.

4 Vortrag: Tempo, Betonung

CD | 37–39

  ⓐ Hören Sie einen Redner, der dreimal dieselbe Rede hält. Wo liegen die Unterschiede?

Rede	Tempo	Betonung
1	*langsam*	*wenig, langweilig*
2		
3		

  ⓑ Welche Rede überzeugt Sie? Warum?

5 Halten Sie nun Ihre Rede vor der Klasse.

1 Assoziationen und Hypothesen

a Was erkennen Sie auf den beiden Fotos?

b Worum geht es wohl in dem anschließenden Artikel? Lesen Sie nur die Überschrift des Zeitschriftenartikels. Ergänzen Sie diesen Satz: *In diesem Text geht es wahrscheinlich um ...*

2 Hypothesen überprüfen

Lesen Sie nur den ersten Absatz. War Ihre Hypothese richtig oder falsch? Bilden Sie eine neue Hypothese. Worum geht es im weiteren Text wahrscheinlich?

☐ um die Entdeckung des Aspirins
☐ um die Gefahren des Heroins
☐ um den Forscher Felix Hoffmann

Felix Hoffmann

Die Jahrhundert-Droge

Ein weißes Pulver erobert die Welt

Dies ist die Geschichte eines weißen Pulvers. Der Chemiker Felix Hoffmann entwickelte es am 10. Oktober 1897 in den Labors der Firma Bayer und
5 nannte es Aspirin. Doch die Chefs des Unternehmens hatten dafür nichts als ein Achselzucken übrig. Kein Wunder, denn sie waren gerade damit beschäftigt, die „Revolution der Hustenbekämpfung" zu feiern.

10 Das Mittel, das dem Aspirin den Rang ablief, hieß Diazetylmorphin. Bayer-Arzneichef Dreser erklärte 1898 auf einem Kongress vor deutschen Ärzten und Naturwissenschaftlern, die neue Substanz sei zehnmal wirksamer und erheblich ungiftiger als alle vergleichbaren Hustenmedikamente. Man habe sie auch schon bei anderen Krankhei-
15 ten getestet, diese Forschungen seien aber noch nicht abgeschlossen.

Diazetylmorphin kam übrigens nicht unter seinem komplizierten chemischen Namen auf den Markt. Man fand eine eingängigere Bezeichnung. Fabrikarbeiter von Bayer hatten es nämlich auf Anordnung der Firma probiert und ziemlich begeistert berichtet, sie fühlten
20 sich nach der Einnahme des Mittels geradezu heroisch. Das gefiel den Managern so gut, dass sie ihr neues Produkt Heroin nannten.

Allerdings bewährte sich dieses Heroin in der Hustenbekämpfung nicht sonderlich, sondern machte auf anderem Gebiet Kar-
25 riere. Und so kamen die Bayer-Bosse auf ihren Angestellten Hoffmann und dessen Erfindung zurück. Trotz größter Skepsis, ob sein Pulver überhaupt etwas
30 bewirke, brachten sie Aspirin im Januar des Jahres 1899 auf den deutschen Markt. Anwendungsgebiet: Kopfschmerzen.

So begann sie, die Geschichte der
35 erfolgreichsten Pille der Welt. Heute werden jedes Jahr weltweit rund 40 000 Tonnen verkauft. Es ist eine Medikamentenge-schichte, die allein schon dadurch
40 aus dem Rahmen fällt, dass sich an der Zusammensetzung des

Aspirins fast hundert Jahre nach seiner Entwicklung nichts geändert hat. Seit ein paar Jahren steht fest, dass Aspirin auch der Name einer
45 großen Zukunftsstory ist. Neue Studien dokumentieren immer wieder überraschende Erfolge, die manchmal fast an Wunder grenzen. Aspirin soll dem Herzinfarkt vorbeugen, sogar Magen- und Darmkrebs stoppen können.

Die Geschichte des Aspirins hat ihre Anfänge in einer finsteren,
50 aufstrebenden Zeit. Die industrielle Revolution hatte Deutschland spät erfasst, aber nun war sie in vollem Gange. Eine Fabrik nach der anderen wurde gegründet. Kohle, Stahl, alles ließ sich zu Geld machen. Auch Farben waren ein Geschäft.

Einer der Pioniere dieser Branche war Friedrich Bayer. Der Zufall
55 wollte es, dass zwei Ärzte im Jahr 1886 einem Patienten, der an hohem Fieber litt, durch eine Verwechslung Acetaniid verabreichten. Überraschenderweise bekam dem Mann das Mittel, ein Abfallstoff der Kohlenteerherstellung, ausgezeichnet. Das Fieber ging zurück, er wurde wieder gesund.

60 Als Carl Duisberg, der legendäre Bayer-Chef, davon erfuhr, schickte er seine Mitarbeiter hinaus auf den Fabrikhof. Dort lagerten in alten Fässern 30 000 Kilogramm Paranitrophenol, ein bis dahin wertloser Abfallstoff der Farbenproduktion. Duisberg wusste, Paranitrophenol hat eine ähnliche chemische Struktur wie Acetaniid. Aus dem Gift-
65 müll ließ er das Medikament herstellen. Die Farbenindustrie hatte ihre Berufung zur Pharmaindustrie entdeckt.

Und Bayer boomte. 1891 beschäftigte das Unternehmen bereits neunzig hauptberufliche Chemiker und erwarb nördlich von Köln eine Fabrikanlage der Firma Dr. C. Leverkus Söhne. Die Labors waren pri-
70 mitiv, die Forscher arbeiteten unter abenteuerlichen Bedingungen. „In Korridoren, Waschräumen und einer aufgelassenen Schreinerei wurden Tische aufgestellt und übelriechende Versuche durchgeführt. Wer Glück hatte, dem stand ein Wasserabfluss zur Verfügung, die weniger Begünstigten arbeiteten draußen, im Nebel des Flusses. Sie
75 trugen Holzschuhe, weil der schlammige Boden voll von harmlos aussehenden Pfützen war, in denen sich aber Lederschuhe wie Pappe auflösten."

So muss man ihn sich vorstellen, den Chemiker Felix Hoff-
80 mann, wie er an seinem Arbeitsplatz stand, die Jahrhundert-Droge Aspirin entwickelte und eine Wende in der modernen Heilkunde einleitete. An die Stelle überlieferter Arzneien von weit-
85 gehend unbekannten Zusammensetzungen trat ein chemisch präzise definierter, exakt dosierter und maschinell produzierter Wirkstoff.
90

Dabei war Hoffmann nicht der geniale Erfinder, dem der größte Wurf gelang, sondern nur der Verfahrenstechniker, der eine bekannte Rezeptur weiterentwi-
95 ckelte.

Wie das Medikament mit der Verkaufsbezeichnung Aspirin funktionierte und was man alles damit tun könnte, wusste damals
100 noch niemand. Nur eines war schnell klar: Bayer hatte einen Erfolg gelandet. Wenige Wochen nach dem Start von Aspirin kamen von überall her Erfolgs-
105 meldungen. Kopfschmerzen und Fieber hatten für viele Kranke ihren Schrecken verloren. Nebenwirkungen wurden nicht beobachtet. Aspirin hatte seinen
110 Siegeszug begonnen.

8

3 Hauptinformationen entnehmen

Ergänzen Sie die folgende Zeittafel zum Text.

1886	Zwei Ärzte geben einem Fieberpatienten versehentlich Acetaniid. (Z. 55–56)
1891	
10. Oktober 1897	
1898	
1899	
heute	

P **4**　**Textzusammenfassung**

Ergänzen Sie die Satzanfänge zu einer Textzusammenfassung.
Verwenden Sie Wörter aus dem Text oder eigene Ausdrücke.

> Der Text berichtet über die Entdeckung ....
>
> ....
>
> Das Mittel wurde ....
>
> Zwei Ärzte hatten ....
>
> Es wirkte ....
>
> Daraufhin ließ der Chef der Firma Bayer ....
>
> ....
>
> Doch erst sein Mitarbeiter ....
>
> Zunächst kam es als Mittel ....
>
> Heute setzt man es auch ....

5　**Idiomatik**

a Ergänzen Sie die idiomatischen Ausdrücke aus dem Text.

Zeile 7: das Achselzucken	*die Chefs hatten dafür nichts als ein Achselzucken übrig*
Zeile 10: der Rang	
Zeile 41: der Rahmen	
Zeile 54: der Zufall	
Zeile 83: die Wende	
Zeile 93: der Wurf	
Zeile 103: der Erfolg	
Zeile 108: der Schrecken	

b Erklären Sie die Bedeutung der Ausdrücke.

Beispiel　　*Die Chefs zeigten, dass sie es nicht wichtig fanden / dass es in ihren Augen nichts Besonderes war.*

AB 90 9–10

GR **6**　**Präpositionen**　　　　　　　　　　　　　　　　　　　GR S. 102

Unterstreichen Sie im Text die folgenden Präpositionen. Jede Gruppe übernimmt zwei Abschnitte. Ergänzen Sie die Tabelle durch Beispiele aus dem Text.

Präp.	Beispiel	Bedeutung	Kasus	Präp.	Beispiel	Bedeutung	Kasus
an	*am 10. Oktober*	temporal	Dat.	in		lokal	Dat
an		lokal	Dat./Akk.	nach		temporal	Dat.
auf		lokal	Dat./Akk.	seit		temporal	Dat.
aus		material	Dat.	unter		situativ	Dat.
durch		kausal	Akk.	vor		lokal	Dat..
in		temporal	Dat.	zu		Ziel	Dat.

AB 91 11–15

SPRECHEN 2

1   Wie denken Sie über diese beiden Frauen?

Warum dürften sie das in Deutschland nicht?

> Debbie V., 30, Amerikanerin, hat ihrer besten Freundin Stacey B. einen
> gewaltigen Gefallen getan: Sie brachte für die Freundin in Phönix Vier-
> linge zur Welt. Stacey und ihr Mann hatten 13 Jahre vergeblich auf
> Kinder gehofft. Schließlich erklärte sich Debbie bereit, die im Reagenz-
> glas befruchteten Eier Staceys auszutragen. In Deutschland verbietet
> das 1990 verabschiedete Embryonenschutzgesetz Leihmutterschaften
> aus ethischen und rechtlichen Gründen.

2   Wissenschaftliche Verfahren?

Ordnen Sie den Begriffen jeweils die richtige Definition zu.

Begriff	Definition	1–5
Retortenbaby	*Ein Teil eines Menschen, z. B. ein Herz, wird einem anderen eingepflanzt, damit er weiterleben kann.*	
Gentechnisch erzeugte Medikamente	*Ein Baby wird außerhalb des Mutterleibs gezeugt und dann von der Mutter ausgetragen.*	
Klonen	*Eine Frau trägt für eine andere ein Kind aus. Oft erhält sie dafür Geld o. Ä.*	
Leihmutterschaft	*Wirkstoffe z. B. gegen Diabetes oder Rheuma werden aus gentechnisch veränderten Bakterien gewonnen.*	
Organ-transplantation	*Ein genetisch identisches Duplikat eines Lebewesens wird hergestellt.*	

AB 93   16–17

3   Vorbereitung einer Diskussion

a   Welche dieser Verfahren halten Sie für wünschenswert? Welche für gefährlich?

b   Bilden Sie eine Reihenfolge von „wünschenswert" (1) bis „gefährlich" (5).

4   Diskussion

Als Mitglieder einer Ethikkommission diskutieren Sie, welche der in
Aufgabe 2 genannten Forschungen Sie erlauben und welche Sie
verbieten. Einigen Sie sich.

5   Redemittel

Ordnen Sie den verschiedenen Intentionen links die Redemittel rechts zu.

1	Machen Sie einen Vorschlag.	A	*Das ist sicherlich ein stichhaltiges Argument, man muss allerdings auch bedenken, dass ...*
2	Begründen Sie Ihre Meinung.	B	*Bei der Beurteilung der Forschungen bin ich zu folgender Reihenfolge gekommen: ...*
3	Fragen Sie nach der Meinung Ihrer Gesprächs-partner.	C	*Lassen Sie uns nun das Ergebnis festhalten: ...*
4	Reagieren Sie auf eine Äußerung.	D	*Was halten Sie von ...?*
5	Einigen Sie sich.	E	*Folgende Gründe sprechen meiner Meinung nach für ...*

AB 94   18

1 Vom gleichen Wortstamm kommende Wortarten haben meist die gleichen Präpositionen.

ÜG S. 64 ff.

Präposition	Verben	Adjektive, Partizipien	Nomen
für	*sich verantworten –* *sorgen für*	*verantwortlich für* *gesorgt sein für*	*die Verantwortung für* *die Sorge für*
mit	*sich beschäftigen mit*	*beschäftigt sein mit*	*die Beschäftigung mit*
über	*streiten über*	*zerstritten sein über*	*der Streit über*
um	*sich sorgen um*	*besorgt sein um*	*die Sorge um*
vor	*schützen vor*	*geschützt vor*	*der Schutz vor*

2 Eine Präposition kann unterschiedliche Bedeutungen haben.

Präposition	Beispiel	Bedeutung	Kasus
an	*Er stand an seinem / ging an seinen Arbeitsplatz.*	lokal, Position/Richtung	D/A
	Am Abend / Am 10.10.1897 stellte er Aspirin her.	vor Zeitangaben, beim Datum	Dat.
auf	*Sie arbeiten auf dem / gehen auf den Fabrikhof.*	lokal, Position/Richtung	D/A
	Wie heißt das auf Deutsch?	Angaben von Sprachen	Dat.
	Auf der Tagung diskutierten sie Fachthemen.	temporal, bei Ereignissen	Dat.
	Das Medikament ist auf Wochen ausverkauft.	temporal, Zeitdauer	Akk.
aus	*Der Chirurg kommt aus dem Operationssaal.*	lokal, Richtung, woher?	Dat.
	Aspirin wurde aus einem Abfallstoff gewonnen.	Material, Beschaffenheit	Dat.
	Aus Neugier unternahm er viele Experimente.	kausal, Ursache	Dat.
bei	*Die Fabrik lag in Leverkusen bei Köln.*	lokal, in der Nähe von	Dat.
	Bei der Herstellung des Mittels gibt es Probleme.	Gleichzeitigkeit oder Bedingung	Dat.
durch	*Durch eine Glasscheibe sah man das Experiment.*	Hindernis	Akk.
	Durch giftige Abwässer werden Menschen krank.	Ursache	Akk.
für	*Die Angestellten von Bayer tun alles für ihre Firma.*	Nutzen für jemanden	Akk.
	Für eine genaue Analyse fehlen uns noch die Daten.	Zweck	Akk.
	Man sucht einen Nachfolger für den Forscher.	Ersatz, anstelle von	Akk.
in	*Die Geräte stehen im Labor. / Er stellte sie ins Labor.*	lokal, Position/Richtung	D/A
	Im Sommer gibt es weniger Erkältungen.	Jahr(eszeit), Monat, Woche	Dat.
	In zehn Jahren ist die Gentechnologie viel weiter.	temporal, Zukunft, Zeitraum	Dat.
	Die neuen Labors sind in hellen Tönen gehalten.	Farben	Dat.
mit	*Mit einfachen Mitteln entwickelte Hoffmann das Aspirin.*	Hilfsmittel	Dat.
	Er arbeitete intensiv mit seinen Kollegen zusammen.	in Begleitung	Dat.
	Einige Erfindungen sind mit Vorsicht zu genießen.	Gefühl, Motiv, Umstand	Dat.
	Einstein bekam mit 42 Jahren den Nobelpreis für Physik.	Alter, in dem etwas passiert	Dat.
über	*Die Lampe hängt über dem Tisch. / Er hängt sie über den Tisch.*	lokal, Position/Richtung	D/A
	Sie reisten über Frankfurt und Köln nach Düsseldorf.	Stationen auf dem Weg	Akk.
	Die Experimente dauerten über vier Tage.	Überschreitung einer Grenze	Akk.
	Er wollte das Experiment übers Wochenende durchführen.	temporal, Zeitraum	Akk.
	Sie diskutierten über die Verantwortung für ihre Tat.	Thema, Bezugspunkt	Akk.
um	*Alle drängten sich um das neugeborene geklonte Schaf.*	lokal, um einen Punkt herum	Akk.
	Um 1900 gab es viele medizinische Neuheiten.	ungefähre Zeitangabe	Akk.
	Der Kongress der Wissenschaftler beginnt um 8 Uhr.	genaue Zeitangabe, Uhrzeit	Akk.
vor	*Der Computer steht vor dem Regal. / Er stellt ihn vor das Regal.*	lokal, Position/Richtung	D/A
	Vor Ende Mai kommt das Medikament auf den Markt.	temporal, Zeitpunkt	Dat.
	Der Erfinder sprang vor Freude in die Luft.	unkontrollierte Empfindungen	Dat.
zu	*Wenn man Beschwerden hat, sollte man zum Arzt gehen.*	Ziel	Dat.
	Manche Wissenschaftler arbeiten zu zweit oder zu dritt.	Gruppe	Dat.

KUNST

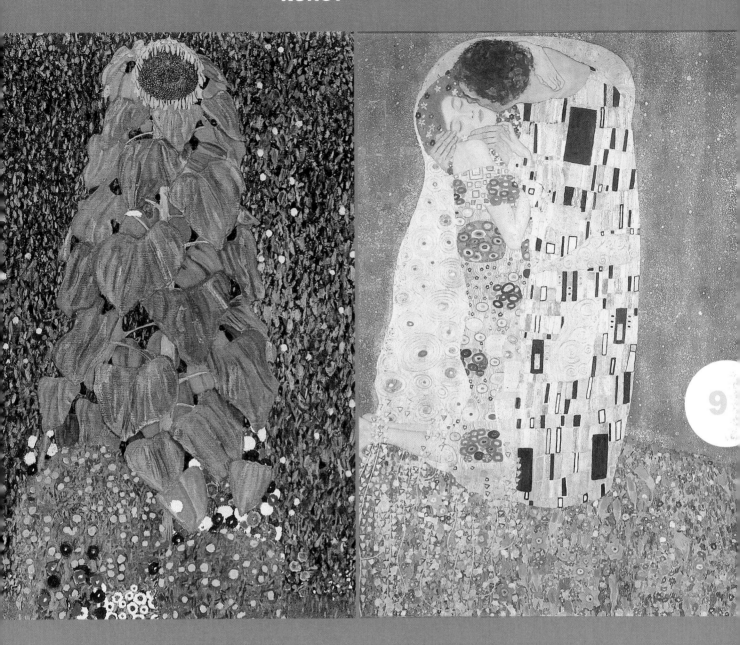

1 Beschreiben Sie die beiden Bilder.

das Mosaik – das Ornament – das Porträt
der Blumenteppich – die Darstellung – die Fläche – die Haltung –
die Raumaufteilung

2 Vergleichen Sie die beiden Bilder.

a Was verbindet sie?

b Welches gefällt Ihnen besser? Warum?

3 Was ist wohl das Thema dieser beiden Bilder?

4 Über Kunst im eigenen Leben sprechen

a Welche Bilder hängen bei Ihnen zu Hause an der Wand?

b Wann waren Sie zuletzt in einer Kunstausstellung?

c Wie wichtig ist Kunst in Ihrem Leben?

__1__ **Schauen Sie sich das Foto an.**
Beschreiben Sie den Maler Gustav Klimt.

__2__ **Überfliegen Sie den folgenden Text.**
Was wird darin geschildert? Sammeln Sie.

Klimts Atelier in Wien

Klimts Lebensumfeld blieb das biedermeierliche Atelier im Hinterhaus der Josefstädterstraße. Dort lebte er alleine mit seinen zahllosen Katzen. Dort besuchten ihn auch seine Freunde, wie der Fotograf
5 Moritz Nähr, dessen Aufnahmen von Haus und Garten erhalten geblieben sind, oder der junge Maler Egon Schiele[1], dessen väterlicher Freund und Förderer er war. Kurz nach Klimts Tod gab Egon Schiele eine Beschreibung des Ateliers, die zusammen mit den
10 Fotografien einen Eindruck von der Abgeschiedenheit des niedrigen Hauses hinter einer hohen Mauer in einem verwilderten Garten verschafft: „Es war in der Josefstädterstraße 21, in einem Garten – einem der alten, verborgenen Gärten, an denen gerade die Josef-
15 stadt noch so reich ist –, wo am Ende, von hohen Bäumen umschattet, ein niedriges mehrfenstriges Häuschen stand.

Zwischen Blumen und Efeu ging man hin. Das war die langjährige Werkstatt Klimts. – Durch
20 eine verglaste Tür kam man zuerst in einen Vorraum, wo aufgespannte Leinwandrahmen und sonstiges Malmaterial aufgestapelt waren, und daneben schlossen sich drei weitere Arbeitsräume an. Am Fußboden lagen Hunderte von Handzeichnungen umher. Klimt
25 trug stets einen blauen, bis an die Fersen reichenden, großfaltigen Kittel. So kam er entgegen, wenn an die Glastür Besucher und Modelle klopften.“ Bis der gesamte Häuserkomplex im Zuge der Stadterneuerung um 1912 abgerissen wurde, blieb Klimt in seiner
30 „Werkstatt“, wie er sein Atelier selbst nannte.

Im Gegensatz zu Makart[2], der sein Atelier der Öffentlichkeit zugänglich gemacht hatte, schottete sich Klimt ab. Er ließ lediglich wenige Besucher ein.

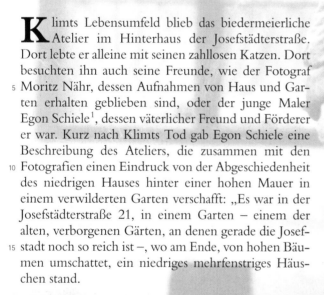

Zu Anfang waren das vor allem Familienmitglieder, aber schon seit den Neunzigerjahren zeichnete Klimt 35 seine Skizzen und Figurenstudien von Aktmodellen. Zu denen, die in die Josefstädterstraße kamen, gehörten auch Maria Ucicka und Maria Zimmermann, genannt „Mizzi“. Sie waren die Mütter der Söhne, die Klimt zu Lebzeiten anerkannt hat: des späteren Film- 40 regisseurs Gustav Ucicky (1898–1961) sowie Gustav (1899–1978) und Otto Zimmermanns (1902–1903). Nach Klimts Tod wurden jedoch 14 Erbansprüche von verschiedenen Frauen geltend gemacht.

Von Maria Ucicka existiert nur eine gesicherte 45 Zeichnung. Mizzi Zimmermann hingegen hat ihm wahrscheinlich für seine zahlreichen Zeichnungen von Schwangeren sowie für das berühmtberüchtigte Gemälde „Hoffnung I“, das eine unbekleidete schwangere Frau zeigt, Modell gestanden. 50 Mit Mizzi stand Klimt zumindest von 1899 bis 1903 in engem Kontakt. Doch abgesehen von diesen beiden Frauen fanden sich offensichtlich täglich Modelle in Klimts Atelier ein, die darauf warten mussten, ob der Maler sie zeichnen wollte. 1912 beschrieb der Schrift- 55 steller und Journalist Franz Servaes in der Zeitschrift „Der Merker“ die Situation in Klimts Atelier folgendermaßen: „Hier war er von geheimnisvollen Frauenwesen umgeben, die, während er stumm vor seiner Staffelei stand, in seiner Werkstatt auf und nieder 60 wandelten, sich räkelten, faulenzten und in den Tag hinein blühten – stets auf den Wink des Meisters bereit, gehorsam stillzuhalten, sobald dieser eine Stellung, eine Bewegung erspähte, die in Form einer raschen Zeichnung festzuhalten seinen Schönheitssinn 65 reizte.“

[1] Egon Schiele (1890–1918), bekannter österreichischer Maler des Expressionismus
[2] Hans Makart (1840–1889), österreichischer Historienmaler, fand in der Belle Époque besonders beim vermögenden Bürgertum Anklang

__3__ **Detailverstehen**

Nennen Sie einige Details aus Klimts Leben. Welche finden Sie
gewöhnlich bzw. eher ungewöhnlich? Begründen Sie Ihre Meinung.

Details aus Klimts Leben	eher gewöhnlich	eher ungewöhnlich	Begründung
Dort lebte er allein mit seinen zahllosen Katzen.			
Freunde besuchten ihn. ...			

AB 98 | 2

GR __4__ **Nähere Bestimmung eines Nomens**   GR S. 115

a Ordnen Sie die Sätze aus dem Text den verschiedenen Formen der
näheren Bestimmung zu.

Textbeispiele	Formen der näheren Bestimmung
Atelier *im Hinterhaus*	mehrere Adjektive
Freunde *wie der Fotograf Moritz Nähr*	Relativsatz
*Mal*material	erweiterte Partizipien in Adjektivfunktion
eine Beschreibung des Ateliers, *die ... einen Eindruck ... verschafft*	Partizipialsatz
in einem Garten – *einem der alten, verborgenen Gärten*	Apposition im gleichen Fall
	präpositionale Angabe nach dem Nomen
wo am Ende, *von hohen Bäumen umschattet,* ein *niedriges mehrfenstriges* Häuschen stand	Vergleichssatz nach dem Nomen
einen blauen, *bis an die Fersen reichenden,* großfaltigen Kittel	Kompositum

b Suchen Sie im dritten und vierten Absatz des Textes weitere Beispiele,
in denen ein Nomen näher bestimmt wird. Ordnen Sie diese den verschiedenen Kategorien zu. Nicht für jede Kategorie gibt es ein Beispiel.

GR __5__ **Bilden Sie Sätze.**

Finden Sie möglichst viele Varianten der näheren Bestimmung für jeden Satz.
Beispiel: Maler – freizügiges Leben führen – provozieren – feine Wiener Gesellschaft

- *Der Maler führte ein freizügiges Leben, das die feine Wiener Gesellschaft
  provozierte.*
- *Der Maler führte ein freizügiges, die feine Wiener Gesellschaft
  provozierendes Leben.*

a Er – nur wenige Besucher – Familienangehörige – auch Modelle –
lassen – in sein Atelier

b Im Atelier – Frauen – geheimnisvoll – umherwandeln – Klimt – umgeben sein

c Er – stehen – stumm – vor der Staffelei – die Frauen – betrachten   AB 98 | 3–5

1 Baustile

CD | 40–41

a Ordnen Sie zu.

1200	Barock
1500	Bauhaus
1700	Gotik
1820	Jugendstil
1900	Klassizimus
1923	Postmoderne
1990	Renaissance

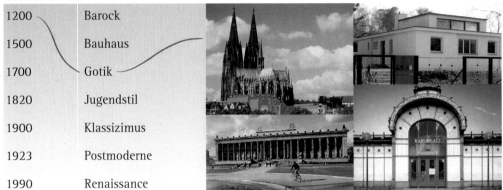

b Hören Sie Ausschnitte aus Stadtführungen. Welche der Gebäude oben werden erklärt? In welcher Reihenfolge?

c Suchen Sie ein Foto von einem Gebäude aus Ihrem Heimatland, das eine für Ihre Stadt typische Architektur zeigt. Suchen Sie dazu in einem deutschsprachigen Lexikon die Definition der Stilrichtung. Präsentieren Sie das Gebäude im Kurs.

2 Objekte beschreiben

a Welches dieser Objekte gefällt Ihnen? Warum?

b Beschreiben Sie diese Objekte genau nach Form, Farbe und Beschaffenheit. Verwenden Sie diese Adjektive:

eckig – geschwungen – ornamental – rechtwinklig/rechteckig – rund/gerundet – aus Holz – aus Stahl – aus Leder

`AB 99` 6

3 Kennen Sie folgende Begriffe?

Wählen Sie mit Ihrer Lernpartnerin / Ihrem Lernpartner jeweils fünf der folgenden Begriffe aus. Erklären oder definieren Sie, was man darunter versteht.

die Vogelperspektive – das Passepartout – der Schatten – die Raumperspektive – das Stillleben – die abstrakte Kunst – die optische Täuschung – die Plastik – die Froschperspektive – das Relief – die Aktzeichnung – der Rahmen – die Landschaftsmalerei – die Skulptur – die Karikatur – das Porträt – der Hintergrund – das Ornament – das Mosaik – die Kontur – die Farbigkeit – die Allegorie – der Naturalismus

Beispiel: *Man spricht von Vogelperspektive, wenn man etwas von hoch oben betrachtet. Das Gegenteil ist die ...*

`AB 99` 7–8

P 1   **Etwas aushandeln**

Sie arbeiten bei einer Bürgerinitiative mit, bei der über den Bau eines neuen Museums entschieden werden soll. Dazu liegen bereits vier Vorschläge vor.

Forum der Technik

Zu sehen sind unter anderem
→ das erste Automobil,
→ chemische oder physikalische Experimente,
→ Demonstrationen zum Selbstbetätigen von Hand oder durch Knopfdruck.

Spielzeugmuseum

Gezeigt werden sollen
■ Puppenhäuser aus fünf Jahrhunderten,
■ Teddybären aus verschiedenen Epochen,
■ Modellautos,
■ erste Barbiepuppen.

Jagdmuseum

Zu sehen sind unter anderem
■ Wildtiere, ausgestopfte (irischer Riesenhirsch, Höhlenbär u.a.),
■ alle einheimischen Süßwasserfische,
■ Jagdwaffen aus vier Jahrhunderten,
■ Gemälde und Grafiken mit Jagdmotiven.

Museum Mensch und Natur

Die Themenbereiche sind
→ die Geschichte der Erde und des Lebens,
→ die Vielfalt der Organismen,
→ der Mensch als Teil und Gestalter der Natur.
Die Abteilung „Spielerische Naturkunde" soll besonders Kinder ansprechen.

Diskutieren Sie zu zweit, welches Museum Sie für besonders wichtig und förderungswürdig halten.

■ Machen Sie einen Vorschlag und begründen Sie ihn.
■ Gehen Sie auch auf Äußerungen Ihres Gesprächspartners / Ihrer Gesprächspartnerin ein.
■ Am Ende sollten Sie sich mit ihm/ihr auf einen Vorschlag einigen.

eine Diskussion eröffnen	*Heute wollen wir über folgende Frage diskutieren: ...* *In der heutigen Diskussion geht es um die Frage, ...*
das Wort ergreifen	*Dazu würde ich gern einige Sätze sagen/anbringen.* *Die Frage lässt sich nicht so einfach beantworten, ...*
eine Äußerung bekräftigen	*Sie haben völlig recht, wenn Sie sagen, ...* *Darin möchte ich Sie unterstützen, weil ...*
jemandem widersprechen	*In diesem Punkt kann ich Ihre Meinung nicht teilen, ...*
eine Frage offenlassen	*Vielleicht sollten wir diesen Punkt noch etwas zurückstellen.* *Am besten kommen wir später noch einmal darauf zurück.*
ein Fazit ziehen	*Das Fazit der Diskussion könnte also lauten: ...* *Wir halten also fest, dass ...*

HÖREN

1   Drei Wiener Damen

Sehen Sie sich die drei Porträts an.

(a) Wann lebten diese Damen wohl?

(b) Aus welcher sozialen Schicht stammen sie vermutlich und wie haben sie wohl gelebt?

(c) Welches Bild gefällt Ihnen am besten? Warum?

2   Bildbeschreibung

CD | 42

Die drei Damen heißen Serena Lederer, Emilie Flöge und Adele Bloch-Bauer. Hören Sie eine Beschreibung dieser drei Porträts. Schreiben Sie die Namen zu den Bildern.

P 3   Genaues Hören

CD | 43–48

Hören Sie nun die ganze Rundfunksendung in Abschnitten. Lesen Sie die Fragen zu den Hauptinformationen, bevor Sie den dazugehörigen Abschnitt hören. Notieren Sie sich während des Hörens oder danach Stichpunkte.

			Notizen
Abschnitt 1	(a)	Wie nannte man die Künstlerorganisation, der Klimt angehörte?	*Wiener Sezession*
	(b)	Wen bildete Klimt hauptsächlich in seinem Werk ab?	
Abschnitt 2	(c)	Wie malte er in seinen frühen Werken?	
	(d)	Nennen Sie ein Merkmal der Darstellung Serena Lederers.	
Abschnitt 3	(e)	Wie verändern sich Klimts Frauenporträts?	
	(f)	Was ist das Besondere am Porträt der Emilie Flöge?	
Abschnitt 4	(g)	Wodurch geht beim Bildnis der Adele Bloch-Bauer die räumliche Tiefe verloren?	
	(h)	Wie sieht ihr Kleid, wie der Hintergrund aus?	
Abschnitt 5	(i)	Was geschieht mit Gesicht und Händen?	
	(j)	Aus welcher Perspektive blicken die Frauen auf den Betrachter?	
Abschnitt 6	(k)	Was weiß man über Serena Lederer?	
	(l)	Was erfährt man über Emilie Flöge?	

4   Textzusammenfassung

Fassen Sie nun mithilfe Ihrer Notizen die Beschreibung eines der drei Bilder zusammen.

AB 100   9

1 Der Weg zum Ruhm

ⓐ Haben Sie sich schon einmal einer besonders schwierigen Prüfung unterzogen? Woran erinnern Sie sich in diesem Zusammenhang?

ⓑ Das Foto zeigt eine Szene während der Aufnahmeprüfung an einer Schauspielschule. Wie wirken die Leute auf Sie?

ⓒ Welche Eigenschaften eines zukünftigen Schauspielers sollten Ihrer Meinung nach in einer Schauspielprüfung getestet werden? Sammeln Sie Stichpunkte. Beispiele: *Spontaneität, Persönlichkeit*

AB 101　10

2 Eine Reportage

Lesen Sie folgende Reportage über die Aufnahmeprüfung am Max-Reinhardt-Seminar, einer berühmten staatlichen Schauspielschule in Wien.

9

Die Prüfung

Wer dort ausgebildet wird, braucht sich um Engagements keine Sorgen zu machen. Die größte Hürde, um dorthin zu kommen: die Aufnahme-
5 prüfung. Wir waren bei einer dabei.

Der erste Tag

An einem Montagmorgen kurz nach acht Uhr beginnen sie, die gefürchte-ten Aufnahmeprüfungen für das Max-
10 Reinhardt-Seminar. Eine 14-köpfige Jury hat, sichtlich gut gelaunt, schon Platz genommen, alles erlauchte Herr-schaften der Theaterszene, Halbgötter. Schließlich gilt es, die Stars von morgen
15 zu entdecken. Eine Woche lang, von früh bis spät, werden sie die Kandida-ten und Kandidatinnen prüfen, und sie werden so lange sieben, bis die besten übrig bleiben.
20 „Die Nummer 1 bitte", ruft jemand ins Foyer, in die wartende Menge hinein. Es geht los! Erste Runde: Vorsprechen. Vier Texte hat man auswendig zu können. „Ich möchte mit der Eve von Kleist
25 beginnen", sagt die Nummer 1, ein jun-ges Mädchen mit blonden Locken. Die Stimme zittert, es krümmt sich – getreu der Textvorlage – klagend am Boden, „Danke schön", sagt jemand von der
30 Jury. Noch ein zweiter Versuch – als „Medea" – wird ihr gewährt, das war's dann aber.

Hohe Anforderungen

Man braucht schon allerhand, um hier
35 aufgenommen zu werden. Zuerst ein-mal Talent und eine starke, ungebroche-ne Persönlichkeit. Dann Leidenschaft, Jugend und schließlich eine jetzt schon erkennbare Präsenz auf der Bühne. Alle,
40 die heute hier sind, alle sind sie vom Theaterspiel besessen und beseelt vom Glauben, sie hätten das Zeug dazu. Ohne diesen Glauben würde jetzt zum Beispiel die Nummer 15 nicht auf ihren
45 Auftritt warten. Die 22-jährige Slawis-tikstudentin aus Erlangen – schwarzes Haar, schwarze Augen, eine weiche Stimme – hat schon an sechs Schau-spielschulen vorgesprochen. Nie ist was
50 daraus geworden. Trotzdem sagt sie: „Ich bin überzeugt, Theaterspielen ist mein Ding. Ich kann das." Ihr Mund ist ganz trocken vor lauter Nervosität.

Da waren's nur noch ...

55 Nach zwei Tagen können 47 Bewerber und Bewerberinnen ihre Sachen packen. Nur 21 kommen in die zweite Runde, 14 Frauen und 7 Männer. Jetzt ist es nicht mehr schwer, die wirk-
60 lich Talentierten vom Mittelmaß zu unterscheiden. Glauben wir, die wir als stille Beobachter im Parkett sitzen, schließen Wetten ab: Auf jeden Fall wird es der Typ mit der Glatze schaffen, das
65 ist schon mal sonnenklar. Er kommt aus Zürich, sein Drei-Minuten-Auftritt als Franz Moor (aus Schillers „Räubern") war reif fürs Burgtheater. Oder diese atemberaubende weibliche Schönheit,
70 groß, blond, 20 Jahre alt. Jede Bewe-gung ist voller Eleganz und Grazie, ein Augenschmaus. Und wie sie die Lulu spielte! Einfach brillant. Am Abend des dritten Tages aber steht
75 sie nicht auf der Liste derer, die in die

9

letzte Runde kommen. Auch „Franz Moor", der Kahlkopf, ist durchgefallen. Basses Erstaunen. Warum nur? Wieso nimmt das Max-Reinhardt-Seminar solche Talente nicht mit Handkuss? Bei den beiden war zwar vielleicht Talent da, wie wir später von einem Jury-Mitglied erfahren, aber es war „schon zu viel Putz drüber".

Frage der Persönlichkeit

Anders bei der Nummer 15, der Slawistikstudentin. Für ihre Szene aus dem Stück „Die Präsidentinnen" humpelte sie etwas plump auf die Bühne, das eine Bein in Gips. Nach wenigen Augenblicken ist der Gipsfuß jedoch nicht mehr existent. Die Nummer 15 spielt. Sie rennt nicht hin und her, schmeißt nicht mit Stühlen um sich, wie es einer ihrer Mitbewerber vorhin tat. „Persönlichkeit zu haben kann man nicht erlernen", sagte einst der große Regisseur Max Reinhardt. „Man kann es gewiss auch nicht vortäuschen." Nummer 15 hat Persönlichkeit. Sie stach uns Laien bloß nicht in der ersten Runde schon ins Auge.

... da waren's nur noch elf. Sieben Frauen, vier Männer. Dritte Runde, vierter Tag.

Der Countdown läuft

Der Countdown für einen Platz an der Sonne läuft, denn wer ins Max-Reinhardt-Seminar aufgenommen wird, ist erst mal seine Sorgen los. Die vierjährige Ausbildung kostet keinen Pfennig. Die Ausstattung ist materiell wie personell exzellent, das Augenmerk gilt ganz allein der künstlerischen Qualität. Nur wenige Schüler und Schülerinnen werden pro Jahr aufgenommen, mehr als ein Dutzend Professoren, Regisseure und Fachlehrer stehen zur Verfügung. Also zeigen sie, was ihre wahre Begabung ist. Können sie singen? Haben sie Fantasie, wie viel künstlerisches Gespür steckt in jedem Einzelnen? Sind sie körperlich fit, haben sie Rhythmusgefühl?

Die letzten Hürden

Das alles wird sich noch heute herausstellen. Drei Zigarrenkisten. Darin Papierschnipsel, auf denen ein Begriff steht. Die Nummer 68, ein junger Mann aus Deutschland, zieht zum Beispiel „Landkarte". Nun hat er 20 Minuten Zeit, sich eine Szene auszudenken, in der dieses Wort eine Rolle spielt, und in der – ganz wichtig! – ein Stimmungsumschwung drin ist. Fantasie ist gefordert. Nervös geht er vor dem Raum auf und ab: Als er schließlich aufgerufen wird, hat er ein Wüstendramolett zu bieten: Hat sich verirrt, ist am Verdursten, holt mit letzter Kraft seine (imaginäre) Landkarte aus dem Tornister und stellt fest – er hat die falsche eingepackt. Und nun die Verzweiflung, ein Schreien, Toben, Heulen. „Stopp. Das ist Schmiere", sagt der Prüfer. Wer am Verdursten ist, macht nicht so ein Theater. Also, noch mal von vorn.

Die Kandidaten sind überall im ganzen Haus verstreut. Nummer 31, eine 20-jährige Wienerin, ist bei der Rollenarbeit. Schon vor einem Jahr hatte sie sich hier beworben, damals vergebens. Gestern nun hat sie beim Vorsprechen die Jury einen Augenblick lang etwas irritiert: Da stand diese kraftvolle und liebenswerte Erscheinung am äußersten Rand der Bühne und sagte: „Darf ich ein Bett haben?" Wie bitte? Das hat sich bis jetzt noch keiner zu fordern getraut. Ja, sagt sie, als Julia (von Shakespeare) brauche sie jetzt ein Bett. Schweigen, schließlich aber wird dieses Möbel herbeigeschafft. Nummer 53, ein kleiner, drahtiger junger Mann aus Berlin, wird zum Gespräch gebeten. „Welche Theaterinszenierungen haben Ihnen in letzter Zeit am besten und am wenigsten gefallen?" – „Was hätte das Max-Reinhardt-Seminar davon, wenn es Sie nähme?" „Was können Sie uns geben?" – „Ich glaube, Sie werden Freude an mir haben, weil ich viel lernen will", sagte zum Beispiel die selbstbewusste „Julia" aus Wien. „Ich gebe Ihnen meine Ehrlichkeit", versprach die Kandidatin mit dem Gipsfuß. Das machte Eindruck. Am Nachmittag geht es runter in den Gymnastiksaal. Musik an. Zuerst gehen. Schultern hoch, Arme hoch, mit dem Finger schnippen, Kopf hängen

lassen, Wirbelsäule krümmen, gehen, beugen, strecken. Steif sind sie alle und für ihr jugendliches Alter erstaunlich ungelenk. „Jetzt spielen die Männer die Aggressiven." Dann sind die Frauen dran, als Verführerinnen, und sollen den Jungs schöne Augen machen. Da müssen plötzlich alle miteinander lachen. Nach einem Flirt ist im Moment niemandem zumute.

Warten auf die Entscheidung

Danach: Ende endlich! Es ist vollbracht. Nun muss man nur noch warten. Warten, bis sich die Jury entschieden hat. Sie gehen in die nahe gelegene Pizzeria, würgen ein paar Bissen hinunter. „Was machst du jetzt?", fragt jede/r jede/n und meint damit: wenn du nicht genommen wirst? Niemand wird aufgeben, jeder wird einen neuen Versuch bei einer anderen Schule machen.

Nach drei Stunden steht fest: Die Gewinner sind – Nummer 31, die „Julia", und – Nummer 15, die Studentin aus Erlangen. Zwei Frauen also. Und kein Mann. Freudentränen bei den Siegerinnen, leichenblasse, enttäuschte Gesichter bei den Verlierern. Von 69 Bewerbern nur zwei, die es geschafft haben. „Und kein Genie übersehen?", fragen wir zum Abschluss den Leiter des Max-Reinhardt-Seminars. „Nein", antwortet er, und es klingt ziemlich überzeugt.

Wir sind es auch.

_3_ **Globalverstehen**

a Welche Stationen gehören zur Aufnahmeprüfung? Kreuzen Sie an.

❑ zu einem ausgelosten Begriff etwas improvisieren
❑ nach auswendig gelernten Textvorlagen etwas vorspielen
❑ zu Playback etwas vorsingen
❑ Fragen zu sich selbst und zum Theater beantworten
❑ kleine Choreografien zu Rhythmik und Bewegung einstudieren
❑ den Inhalt klassischer Theaterstücke wiedergeben

b Bringen Sie die zutreffenden Stationen in die richtige Reihenfolge. Beginnen Sie so: *Zunächst müssen die Kandidaten ...*

_4_ **Detailverstehen**

Lesen Sie den Text noch einmal genau und notieren Sie Informationen zu den Kandidaten.

Kandidat	Beschreibung	Prüfungsaufgabe	Besonderheit
1	*junges Mädchen mit blonden Locken*		
15			
68			
31			
53			

P 5 **Textzusammenfassung**

Ergänzen Sie die folgende Zusammenfassung des Textes. Verwenden Sie Wörter aus dem Text oder eigene Ausdrücke.

69 junge Frauen und Männer unterziehen sich in diesem Jahr der (1) *Aufnahmeprüfung* am Max-Reinhardt-Seminar in Wien. Sie werden in den nächsten Stunden und Tagen von einer (2) .... beurteilt, der sehr berühmte Persönlichkeiten der Theaterszene angehören. Zunächst müssen die Prüflinge einen auswendig gelernten Text (3) .... Bereits die erste Kandidatin (4) .... Die wichtigsten Eigenschaften für einen künftigen Schauspieler sind nämlich (5) .... und eine starke Persönlichkeit. Wer bis zum Ende durchhält und ins Max-Reinhardt-Seminar aufgenommen wird, erhält dort eine (6) .... von ausgezeichneter Qualität. In weiteren Prüfungsteilen wird die Vielseitigkeit der Bewerber unter die Lupe genommen. Dabei sollen die Kandidaten sich beispielsweise zu einem Begriff wie etwa „Wüste" etwas (7) ...., auf die Fragen eines Gremiums antworten und zeigen, dass sie sich auch rhythmisch (8) .... können. Nach mehreren Tagen unglaublicher Anspannung sind alle (9) .... und warten gespannt auf die Entscheidung der Jury. Zwei Frauen sind diesmal die glücklichen Gewinner. Die (10) .... der anderen Kandidaten ist deutlich zu sehen.

_6_ **Ihre Meinung**

Stellen Sie sich vor, Sie würden sich für eine Ausbildung am Max-Reinhardt-Seminar interessieren. Würde Sie die Reportage eher ermutigen oder entmutigen? Warum?

AB 102 11–13

SCHREIBEN

1   ## Lesen Sie die folgende E-Mail.

Sie erhalten einen Brief von einer deutschen Freundin.

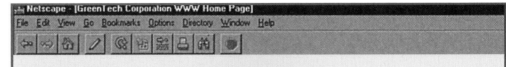

> Hallo lieber John,
>
> vielen Dank für Deinen Brief. Leider bin ich nicht früher dazu gekommen, Dir zu antworten. Die letzten Wochen waren nämlich ziemlich chaotisch. Ich hab Dir doch mal von meinem Traum erzählt, zum Theater zu gehen. Vor vierzehn Tagen hab ich – nur aus einer Laune heraus – die Aufnahmeprüfung bei einer privaten Schauspielschule gemacht. Und stell Dir vor: Gestern krieg ich die Nachricht, dass die mich nehmen wollen. Zuerst hab ich mich wahnsinnig gefreut.
>
> Aber dann sind mir schnell Zweifel gekommen. Die Ausbildung dauert immerhin drei Jahre und ich müsste dafür meinen sicheren Job bei der Stadtverwaltung aufgeben. Außerdem hatte ich keine Ahnung, wie ich die drei Jahre überhaupt finanzieren soll. Aber da kam heute Morgen die zweite Überraschung: Ein Notar rief an und teilte mir mit, dass ich 100.000 Euro geerbt habe, von einer Verwandten, die ich kaum kannte! Na, wenn das kein Wink des Schicksals ist! Trotzdem bin ich mir immer noch nicht sicher. Was wird, wenn alles schiefgeht? Ich kann mich nicht entscheiden, es ist zum Verzweifeln! Was würdest Du an meiner Stelle machen?
>
> Lass bitte ganz bald was von Dir hören!
>
> Deine Johanna

2   ## Textstruktur

Unterstreichen Sie die Satzanfänge im Brief oben.
Wie oft beginnt ein Satz mit dem Subjekt bzw. der Nominativergänzung? Mit welchen Satzteilen beginnen die anderen Sätze?
Geben Sie mehrere Beispiele.
Beispiele: *Leider bin ich nicht ... = modale Angabe*
Vor vierzehn Tagen hab ich ... = temporale Angabe

3   ## Antwort

Schreiben Sie Ihrer Freundin nun einen Antwortbrief von mindestens 180 Wörtern. Beachten Sie die für einen persönlichen Brief typischen Merkmale und verbinden Sie die Sätze im Brief durch unterschiedliche, variationsreiche Satzanfänge. Gehen Sie auf folgende Punkte ein:

- Bedanken Sie sich für den Brief.
- Drücken Sie Ihre Überraschung über Johannas schauspielerische Ambitionen aus.
- Zeigen Sie Verständnis für ihren Wunsch, Schauspielerin zu werden.
- Teilen Sie ihr aber auch Ihre Zweifel in Bezug auf eine mögliche Schauspielkarriere mit.
- Schlagen Sie ihr ein baldiges Treffen vor, bei dem alles noch einmal besprochen werden könnte.

SPRECHEN 2

1 Erste Orientierung

Die beiden Fotos gehören zu zwei Stücken des deutschsprachigen Theaters.

a Welches der beiden Fotos spricht Sie spontan mehr an?

b Worum könnte es in dem einen, worum in dem anderen Stück gehen?

2 Bildbeschreibung

a Ordnen Sie zuerst die Redemittel.

objektive Beschreibung	Einschätzung des Betrachters
Auf dem ersten Foto sieht man ...	*Wahrscheinlich sind die gerade ...*

Auf dem ersten Foto sieht man ...   *Sicherlich ... das Stück ...*
Die Männer stehen ...   *Das andere Foto zeigt ...*
Gekleidet sind sie mit ...   *Hier erkennt man Männer, die ...*
Wahrscheinlich sind sie gerade ...   *Es scheint ein ...*
Das dürfte in ... sein / spielen, weil ...   *Ich nehme an, dass die Schauspieler ...*

b Beschreiben Sie die beiden Bilder. Achten Sie dabei auf die Kleidung und Ausrüstung und die Haltung der Männer.
Äußern Sie Vermutungen über die Situation, in der sie gerade sein könnten.

9

3
CD | 49–50

Beispiel

Hören Sie nun, wie zwei verschiedene Personen – Astrid und Peter – diese Aufgabe gelöst haben, und urteilen Sie: Was haben Astrid und Peter besonders gut gemacht und was weniger gut?

Kriterium	Bewertung Astrid	Bewertung Peter
Aussprache		*besonders gut*
Inhalt		
Flüssiger Ausdruck		
Wortschatz		
Grammatik		

GR **4**

Vermutungen und Folgerungen

GR S. 116

a Sehen Sie sich die folgenden Sätze zu dem unteren Bild auf Seite 113 an. Ergänzen Sie die Sätze in der rechten Spalte.

Adverbialer Ausdruck	Ausdruck mit Modalverb
Alle Männer tragen Rüstungen aus Leder und Metall. Sicherlich/Höchstwahrscheinlich handelt es sich um Soldaten.	Es muss sich um Soldaten oder Kämpfer handeln.
Man erkennt Helme, Speere, Schilde usw. Es ist möglich, dass es sich um Germanen handelt.	Es könnten ...
Vermutlich sind es Männer, die auf einen Kampf warten.	Es dürften ...
Es ist nicht unbedingt notwendig, dass das Stück gewalttätig ist.	Das Stück muss nicht / braucht nicht unbedingt ...
Der Fotograf hat sein Bild unter Umständen ernst gemeint, doch heute wirkt es befremdend.	Er mag ...
Die Landschaft im Hintergrund ist keinesfalls / offenbar nicht echt, sondern eine Attrappe.	Die Landschaft im Hintergrund kann nicht echt sein. Sie sieht aus wie eine Attrappe.
Möglicherweise haben sie gar keine Erfahrung im Umgang mit Waffen. Sie tragen sie nur für das Foto.	Sie müssen gar keine Erfahrung im Umgang mit Waffen haben. Sie tragen sie nur für das Foto.
Angeblich war das Publikum von dem Stück ganz begeistert, aber das lässt sich heute nicht mehr überprüfen.	Das Publikum soll von dem Stück ganz begeistert gewesen sein, aber das lässt sich heute nicht mehr überprüfen.

b Formulieren Sie diese Vermutungen und Folgerungen zum oberen Bild auf Seite 113 mit Modalverben.

Wahrscheinlich machen die Männer auf dem Bild gymnastische Übungen. Es wäre aber auch möglich, dass sie gegen eine weitere Reihe von Männern kämpfen. Vermutlich macht ihnen die Sache keinen Spaß. Die dargestellte Situation ist möglicherweise ein Trainingslager, das ist aber nicht sicher. Vielleicht handelt es sich aber auch um einen modernen Managerkurs. Auf keinen Fall verherrlicht das Theaterstück die aggressive Haltung der Männer, dazu wirken sie in ihrer „Unterwäsche" mit Straßenschuhen zu lächerlich.

AB 103 14–16

1 Die Attribution – Formen der näheren Bestimmung des Nomens

a Attribute links vom Nomen ÜG S. 20ff., 44

Attribution	Beispiel
Adjektiv	*ein revolutionärer, gesellschaftskritischer **Künstler***
Partizip in Adjektivfunktion	*ein in der Vorstadt liegendes **Atelier*** *ein von der Akademie angefeindeter **Maler***
Kompositum	*ein **Blumenmotiv**, das **Aquarellbild***

b Attribute rechts vom Nomen ÜG S. 154ff.

Attribution	Beispiel
Relativsatz	***Ferdinand Laufenberger**, der ein wichtiger Repräsentant einer dekorativ ausgerichteten Malerei in Wien war, wurde Klimts Lehrer.* *Klimt eröffnete ein **Atelier**, wo er gemeinsam mit seinem Bruder Ernst und mit Franz Matsch arbeitete.*
Apposition	***Emilie Flöge**, zeitweise die engste Vertraute des Malers, betrieb in Wien einen Modesalon.* *Gustav Klimt hatte drei **Kinder** zu Lebzeiten anerkannt, den späteren Filmregisseur Gustav Ucicky und die Brüder Gustav und Otto Zimmermann.*
präpositionale Angabe	*das **Atelier** im Hinterhaus* *die **Krise** am Ende seines Lebens*
Vergleichssatz	***Landschaftsmotive** wie Schloss Kammer am Attersee*

c Attribute links oder rechts vom Nomen

Attribution	Beispiel
Partizipialsatz – links vom Nomen	*Von der Öffentlichkeit heftig kritisiert, verließ **Klimt** die Künstlervereinigung.*
Partizipialsatz – rechts vom Nomen	***Klimt**, die Zurückgezogenheit und neue Motive suchend, verbrachte jedes Jahr mehrere Monate am Attersee.*

__2__ Bedeutung der Modalverben im „subjektiven" Gebrauch   ÜG S. 98 ff.

Modalverb 3. Person Singular	Beispiel	Grad der Wahrscheinlichkeit	Bedeutung
muss	*Das Stück muss schon vor mehr als 50 Jahren aufgeführt worden sein.*	völlig sicher	Das Stück wurde sicher schon vor mehr als 50 Jahren aufgeführt.
kann nicht	*Es kann nicht aus der Nachkriegszeit sein.*		Es ist unmöglich aus der Nachkriegszeit.
müsste	*Es müsste eigentlich mehr Fotos von dieser Aufführung geben.*	sehr wahrscheinlich	Es ist anzunehmen, dass es noch mehr Fotos von dieser Aufführung gibt.
dürfte	*Hier dürfte es sich um eine Szene zur Vorbereitung eines Kampfes handeln.*	wahrscheinlich	Wahrscheinlich handelt es sich um eine Szene zur Vorbereitung eines Kampfes.
könnte (kann)	*Es könnte (kann) dabei aber auch um einen Friedensschluss zwischen zwei Rivalen gehen.*	gut möglich	Möglicherweise geht es aber auch um einen Friedensschluss zwischen zwei Rivalen.
mag	*Man mag die Schauspieler früher für ausgezeichnet gehalten haben, heute würde man ihren Ausdruck übertrieben nennen.*	eventuell möglich	Es ist möglich, dass man die Schauspieler früher für ausgezeichnet gehalten hat, heute würde man ihren Ausdruck übertrieben nennen.
soll	*Der dritte Schauspieler von links soll häufig Wutanfälle bekommen haben, wenn eine Szene nicht auf Anhieb klappte.*	Wahrscheinlichkeitsgrad unbekannt	Man sagt, dass der dritte Schauspieler von links häufig Wutanfälle bekam, wenn eine Szene nicht auf Anhieb klappte.
will	*Der Regisseur will der bedeutendste deutschsprachige Regisseur gewesen sein.*	eher unwahrscheinlich	Der Regisseur behauptet von sich, der bedeutendste deutschsprachige Regisseur gewesen zu sein, aber das glaubt ihm keiner.

__3__ Modalverben: Grundbedeutung versus subjektive Bedeutung

Eine klare Unterscheidung zwischen einem Modalverb in der Grundbedeutung und einem in „subjektiver" Bedeutung lässt sich in den Perfektformen treffen. Bei Modalverben in subjektiver Bedeutung gibt es keine Präteritumform.

Perfekt	
Grundbedeutung **Form von *haben* + Verb + Modalverb (beide Infinitiv)**	**subjektive Bedeutung** **Form des Modalverbs + Partizip II + *haben* oder *sein***
Der Regisseur hat die Rolle neu besetzen müssen. (Er hatte keine andere Möglichkeit.)	Der Regisseur muss die Rolle neu besetzt haben. (Der Hauptdarsteller sieht jetzt ganz anders aus.)
Der Schauspieler hat immer schon an großen Theatern spielen wollen. (Er hatte immer schon den Wunsch.)	Der Schauspieler will immer an großen Theatern gespielt haben. (Er behauptet, das immer getan zu haben.)

10

___1___   **Woher stammen die Sachen, die auf dem Foto zu sehen sind?**
Wo wurden sie hergestellt?

___2___   **Woher stammt die Kleidung, die Sie gerade tragen?**

___3___   **Was bedeutet das für**
    ⓐ die Konsumenten?
    ⓑ die herstellenden Firmen?

1
CD | 51

Globales Verstehen

Sie hören jetzt einen Textausschnitt. Worum geht es in diesem Text?
Wo sehen Sie eine Beziehung zu den Fotos auf der vorhergehenden Seite?

2
CD | 52–56

Hauptaussagen sortieren

Hören Sie den Rest der Reportage. Nummerieren Sie die Reihenfolge
dieser Stichworte im gehörten Text.

☐ Argumente der Befürworter

☐ Auswirkungen der Globalisierung auf den Alltag

☒ Hoffnungsträger oder Schreckgespenst?

☐ Entstehung neuer Werte

☐ Entstehung des weltweiten Protestes

☐ Die aus verschiedenen Gruppen zusammengesetzte Protestbewegung

3
CD | 51–56

Detailinformationen entnehmen

Hören Sie die Sendung nun in Abschnitten noch einmal.
Beantworten Sie während des Hörens oder danach die folgenden Fragen.

Abschnitt 1

Chance oder Risiko?

Notieren Sie die beiden entgegengesetzten Standpunkte zur Globalisierung.

positiv: *Hoffnungsträger,* _____

negativ: *Schreckgespenst,* _____

Abschnitt 2

Ergänzen Sie die Argumente der Befürworter.

Globalisierung schafft Wohlstand für _____

Produziert wird da, wo es _____

Jeder produziert das, was er _____

Wachstum bietet die Basis für _____

Kriege werden _____

Abschnitt 3

Wovor haben die Protestierer Angst?

_____

Abschnitt 4

Wie haben sich die folgenden wirtschaftlichen Eckdaten entwickelt?

Lebensstandard _____

Güterproduktion _____

Exporte _____

Abschnitt 5

Protestbewegungen

Was lehnen Globalisierungsgegner ab?

_____

Was passiert auf Welt-Sozialforen?

_____

Abschnitt 6

Nennen Sie ein Beispiel für die neuen Werte der „kulturell Kreativen".

_____

10

1 Globales Verstehen

Suchen Sie aus dem Schaubild die übergeordneten Punkte heraus.

a *Akteure der Globalisierung*

b _____

c _____

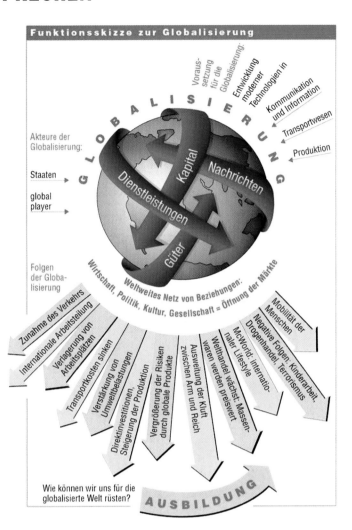

2 Stellungnahme vorbereiten

a Ordnen Sie die Folgen der Globalisierung. Welche sind positiv, welche negativ? Ergänzen Sie eventuell diese Liste.

Positive Folgen

Negative Folgen

b Greifen Sie einen Aspekt heraus und erklären Sie ihn mit einem Beispiel aus Ihrem Heimatland oder aus Ihrer Erfahrung.

`AB 111` 5

3 Diskussion

Bilden Sie eine Gruppe der „Befürworter" und eine Gruppe der „Gegner". Führen Sie ein Streitgespräch.

eine Diskussion eröffnen	*Heute wollen wir über folgende Frage diskutieren: …* *In der heutigen Diskussion geht es um die Frage, …*
das Wort ergreifen	*Dazu würde ich gern einige Sätze sagen/anbringen.* *Die Frage lässt sich nicht so einfach beantworten, …*
eine Äußerung bekräftigen	*Sie haben völlig recht, wenn Sie sagen, …* *Darin möchte ich Sie unterstützen, weil …*
jemandem widersprechen	*In diesem Punkt kann ich Ihre Meinung nicht teilen, …*
ein Fazit ziehen	*Das Fazit der Diskussion könnte lauten: …* *Wir halten also fest, dass …*

__1__ **Berichten Sie: Wo lebt Ihre Familie?**

    ⓐ Seit wann lebt sie dort?

    ⓑ Wie viele Wohnorte haben Sie schon gehabt?

    ⓒ Warum sind Sie umgezogen?

__2__ **Wer sagt was? Ordnen Sie die Aussagen den Personen zu.**

Stephan Sch. (42) wurde in einem oberbayerischen Dorf geboren. An der Universität Tübingen studierte er Biochemie. Danach arbeitete er bei einem multinationalen Biotechnologieunternehmen in der Nähe seines Studienortes. Als das den deutschen Standort aufgab, stand Stephan vor der Wahl: entweder nach Kalifornien oder die Firma verlassen. Eine Stelle an der niederländischen Universität Utrecht klang in dieser Situation so verlockend, dass er sofort zugriff. Seitdem lebt er mit seiner vierköpfigen Familie in Holland.

> *Seitdem ich im Ausland gelebt habe, wird mir immer klarer, dass ich in manchen Dingen einfach anders bin als meine Kollegen, die hier um die Ecke aufgewachsen sind.*

Marion B. (39) ist die Tochter eines aus Kroatien Zugewanderten und einer Deutschen. Ihr Vater betreibt in München einen Gemüseeinzelhandel und ein Restaurant. Sie ist in Deutschland aufgewachsen und spricht die Sprache ihres Vaters nicht. Sie hat in Berkeley/USA studiert. Nach dem Studium kehrte sie nach München zurück und arbeitet seither dort bei einer international operierenden Unternehmensberatungsfirma.

> *Natürlich ist meine Herkunft ganz wichtig für mein Auftreten und meine Persönlichkeit. Wo ich herkomme, sind die Menschen informeller, lockerer, unbeschwerter als die Leute hier. Ich glaube, das finden meine Geschäftspartner ganz angenehm, dass ich anders bin.*

Geoffrey C. (47) wurde im australischen Perth geboren. Er kam als Mitglied des australischen Segelteams zu einer Weltmeisterschaft nach Kiel. Dabei lernte er seine heutige deutsche Frau kennen. Er entschied sich, in Deutschland zu bleiben, lernte Deutsch und fand eine Stelle in einer deutschen Firma mit internationalen Geschäftsbeziehungen. Inzwischen ist er Geschäftsführer eines hoch spezialisierten Tochterunternehmens. Sein Büro hat er in Ulm. Doch einen großen Teil seiner Zeit verbringt er auf Geschäftsreisen.

> *Wenn ich in den Sommerferien nach Deutschland komme, in den Heimatort meiner Familie, fällt mir jedes Mal die große Veränderung auf. So langsam verschwindet all das, was früher einmal typisch war.*

`AB 112` 6

__3__ **Was fällt Ihnen am Lebenslauf dieser drei Personen auf?**

    ⓐ Ergänzen Sie.

Person	Geburtsort	Lebensmittelpunkt	Kulturelle Wurzeln
Stephan			
Marion			
Geoffrey			

    ⓑ Was haben diese Personen gemeinsam?

    ⓒ Was ist bei jeder Person besonders?

__4__ **Berichten Sie von ähnlichen Fällen in Ihrem Freundeskreis.**

1 Sehen Sie die beiden Fotos an.

Wo ist das? Wie würde das bei Ihnen zu Hause aussehen?

2 „Heimat" – was verbinden Sie damit?

a Notieren Sie spontan sechs bis zehn Begriffe.

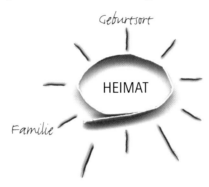

Geburtsort

HEIMAT

Familie

b Kennen Sie „Heimweh"? Wann tritt das auf? Wie äußert es sich?

3 Lesen Sie den folgenden Vorspann zu dem Artikel auf S. 122–123.

Was erwarten Sie von dem Text?

☐ Informationen eines Heimatmuseums.

☐ Politische Kommentare von Globalisierungsgegnern.

☐ Eine Analyse über die psychologischen Folgen der Globalisierung für den Menschen.

☐ ...

Heimat, deine Ferne!

In der Globalisierung zu Hause

„Heimat" ist eines jener deutschen Wörter, in denen unendlich viel Ideologie und Innerlichkeit, aber auch schlichter Kitsch, unbestimmte Sehnsucht und falsches Pathos mitschwingt. Und doch steckt in jedem von uns ein bestimmtes Maß an Heimat. Werden wir den Einfluss des Geburtsortes auf unsere Identität und die prägenden Erinnerungen jemals los? – Heimat, ob geliebt oder nicht, ist Bestandteil unserer Persönlichkeit. Umso bemerkenswerter ist das Verschwinden all dessen, was Heimat einmal ausmachte: unverwechselbare Orte, prägende Kulturen, Traditionen und Bindungen.

10

4 Ordnen Sie die Überschriften den Textabsätzen zu.

Zwei Überschriften passen nicht.

☐ *Heute geht es um persönliche Leistung*

☐ *Unverwechselbare Orte: vom Gasthaus zu McDonald's*

☐ *Die „heimatlose" Generation*

☑ *Heimat bedeutete Identität*

☐ *Heimat: Frauen hängen stärker an ihr als Männer*

☐ *Vom Reinbeker zum Europäer – vom lokalen zum globalen Menschen*

☐ *Verlust der Heimat: wirtschaftliche Folgen*

☐ *Moderne Singles – Freunde als Kompensation*

AB 112 7

❶ Scheinbar alles globalisiert sich heute, nur der Mensch will sich nicht recht fügen. Zwar verdammt ihn die Zeit zum *global player*, doch seine Wünsche und Träume stehen nur allzu oft gegen diese Entwicklung. Denn häufig überfordert es ihn, sein Leben nicht nur völlig autonom gestalten zu *können*, sondern es zu *müssen*. Er sehnt sich nach dem Halt der guten, alten Heimat. Dabei verdrängt er, dass dieser Halt auch immer Züge von Unfreiheit und Zwang hatte.

Heimat ist einerseits ein *Ort,* aber auch eine Institution im Sinne von festgelegten Gemeinschaftsformen. Beide lösen gleichermaßen Gefühle der Vertrautheit und Zugehörigkeit aus, aus denen Identität entsteht. So war es zumindest jahrtausendelang. Und in dem Maße, in dem Heimat als Ort und Institution verschwindet, verschwindet eine Art und Weise, sich mit der Welt zu identifizieren.

❷ In traditionsgeprägten Gesellschaften identifizierte man sich mit dreierlei:

1. mit der eigenen Stammesgruppe, dem Gemeinschaftsverband,

2. mit Stadt, Land, Fluss, also der typischen Gestalt und Architektur der Region, und

3. mit dem eigenen Status als Krieger, Medizinmann oder Bauer, Bürger, Edelmann.

In der modernen Welt bleibt fast nur noch der Status zur Identifikation. Diese Identität ist uns nicht überindividuell gegeben, sondern an etwas gekoppelt, was wir über eine eigene Lebensleistung erreicht haben. Die beiden anderen Formen gehen deutlich zurück: Sämtliche Gemeinschaftsverbände, von der Gemeinde bis zur Ehe, sind quantitativ und qualitativ in Auflösung begriffen, das zeigt die Sozialstatistik.

❸ Und Stadt, Land, Fluss? Um einen Heimatort zu haben, braucht man dort einzigartige Erfahrungen, Düfte und Gerüche, einen typischen Geschmack und Stil, Klänge, Bilder und Gewohnheiten, Architektur, Design, Formen, einen gemeinsamen Dialekt. Doch das Unverwechselbare verschwindet. Die Kultur eines bestimmten Ortes bringt immer weniger von diesem Charakteristischen hervor. Statt einer regionaltypischen Lebensart herrscht der Stil der Vereinheitlichung, eine Art Allerweltskultur.

Wie das aussieht, zeigt eine Ortsbegehung irgendwo in der Provinz: Wo früher die Gaststuben und Gemeindesäle untergebracht waren, in den Wirtschaften, in den Läden, Werkstätten und alten Höfen entlang der Hauptstraße, dort haben sich heute die Schnellrestau-

rants und die Agenturen des Lifestyle breitgemacht, die „Studios" für Nägel, Piercing oder Tattoo, Beauty- oder Kosmetiksalons, Boutiquen, Fitness- und Sonnenstudios, Videotheken und Haarstylisten.

❹ Heute geht ein Prozess zu Ende, der vor vielleicht 6000 Jahren begann. Seither ist die menschliche Existenz in der Welt durch ein Heimatgefühl definiert, durch den Dualismus von Heimat und Fremde, denn unsere Zivilisation ist überwiegend eine Geschichte der Sesshaftigkeit: Man wurde geboren, lebte, arbeitete, spielte, feierte und starb am gleichen Ort. Erst mit Einsetzen der Moderne wurden diese Räume immer häufiger durchbrochen und äußeren Einflüssen geöffnet. Heute bleibt kaum jemand an seinem Herkunftsort. Man wurde dort geboren, wuchs woanders auf, lebt nun an einem dritten Platz, arbeitet auswärts – und die Freunde wohnen weit weg. Zuerst war ich vielleicht ein Reinbeker, irgendwann mindestens so sehr ein Hamburger, ein Norddeutscher, ein Deutscher, Europäer, und am Ende bin ich ein „globaler Mensch". Das Problem ist: Heimat braucht Grenzen. Wo sie sich lockern, lockert sich auch das Gefühl der Verbundenheit mit dem Ursprungsort.

❺ Diejenigen, die zwischen 1960 und 1975 geboren sind, bilden in besonderem Maße eine heimatlose Generation. Ihr Heimatverlust ist die Folge einer globalen Entwicklung. In ihrer Kindheit und Jugend erlebten sie noch Heimat, aber auch bald ihr Ende. Sie kannten noch ein halbwegs geregeltes Familienleben und die festgefügten Institutionen der Heimat. Sie kannten zum Beispiel Mütter, die sich noch klaglos in ihr bürgerliches Schicksal fügten, die „Hausfrau" waren und für ihre Kinder und den Ehemann die Mahlzeiten bereiteten. Sie kannten noch Väter, die von der Arbeit zum Mittagessen nach Hause kamen und am oberen Tischende Platz nahmen. Auch wenn manche Kinder spürten, dass in manchen dieser Elternbeziehungen nicht gerade die „wahre Liebe" diese Partnerschaft trug, die Institutionen waren mächtiger als der einzelne Wille und schufen eine gewisse Heimatlichkeit. Dazu gehören auch Gottesdienste, Reste eines kirchlich strukturierten Jahreslaufes mit seinen Feiern und Festen, Verwandtschaftsbesuche, Kaffee und Kuchen am Sonntagnachmittag, Sonntagsspaziergänge, gemeinsame Fernsehabende, Spielen auf der Straße, vielleicht noch ein Ernteeinsatz beim Opa auf dem Bauernhof.

❻ Nach dem Verschwinden der Heimat als Ort und als Institution stehen wir heute als isolierte Einzelwesen da. Singlegesellschaft, Bindungslosigkeit, das sind die Schlagwörter. Wir können der neuen Einsamkeit aber entgehen, indem wir andere Bündnisse schließen: Freundschaften. Sie sind freiwillig und erlauben Vertrautheit, ja Geborgenheit ohne jeden Zwang. Mit der Freundschaft gelingt vielleicht die Kompensation von Heimat als Institution. Was allerdings nicht gelingen wird, ist eine Kompensation oder Wiederherstellung von Heimat als Ort. Hier wird es uns allenfalls vereinzelt glücken, eine verortete Lebenskultur wiederzubeleben: Durch regionale Küche, Denkmalpflege, Heimatkunde können wir versuchen, Reste von Heimat zu bewahren und vor der alles nivellierenden Walze der Globalisierung zu schützen.

_5_ **Bericht**

Setzen Sie sich zu dritt oder zu viert zusammen.
Jeder wählt einen Absatz aus dem Text aus und berichtet dazu aus
eigener Erfahrung.

GR _6_ **Passiv**

GR S. 128

a Ergänzen Sie die Sätze.

Jeder will, dass man ihn als Individuum behandelt.	Jeder will ...
Als Kind will man, dass die Familie einen beschützt.	Als Kind ...
Der Mensch will unverwechselbare Dinge erhalten.	Unverwechselbare Dinge sollen ...
Häufig will man die Heimat als Ort wiederherstellen.	Die Heimat als Ort ...

b Ergänzen Sie.

Passivsätze bildet man mit *wollen*, wenn _____

_____

Passivsätze bildet man mit *sollen*, wenn _____

_____

c Formen Sie in die jeweils andere Form um.

Neuartige Bündnisse sollen geschlossen werden.

_____

Die Menschen wollen andere Identifikationsmöglichkeiten schaffen.

_____

Durch regionale Küche und Denkmalpflege soll ein Stück Heimat
wiederbelebt werden.

_____

AB 112 8

GR _7_ **Variieren Sie die Ausdrucksweise.**

| Reste von Heimat, die bewahrt werden müssen | **zu** bewahrende Reste von Heimat |

a Formulieren Sie Relativsätze mit *müssen* oder *können*.

eine zu lösende Aufgabe _____

ein kaum zu verdrängender Bestandteil der Kultur _____

die anzubringenden Korrekturen _____

b Formulieren Sie mit Partizip.

Menschen, die aus Zwängen befreit werden müssen _____

eine Gefahr, die man ernst nehmen muss _____

ein Leben, das völlig autonom gestaltet werden kann _____

AB 113 9–11

WORTSCHATZ

<u>1</u>   **Wann greifen Sie zum Wörterbuch?**

Kreuzen Sie an.

☐ Sofort, wenn Sie ein Wort nicht kennen?

☐ Erst, wenn Sie das Wort nicht aus Ihrer Muttersprache oder einer anderen Fremdsprache ableiten können?

☐ Erst, wenn Sie es nicht aus seinen Bestandteilen erschließen können?

☐ Erst, wenn Sie es nicht aus dem Satzzusammenhang erraten können?

<u>2</u>   **Wörter erschließen**

Suchen Sie im Text auf Seite 122/123 Beispiele.

Wörter,	**Beispiel**
die international verwendet werden,	*global player*
die sich aus einer Ihnen bekannten Sprache ableiten lassen,	
die in Ihrer Muttersprache ähnlich klingen.	

`AB 114` 12

10

<u>3</u>   **Komposita**

ⓐ Definieren Sie die folgenden Wörter.

ⓑ Wie viele Wörter brauchen Sie in Ihrer Sprache dafür?

das Schnellrestaurant   *Ein Selbstbedienungsrestaurant, in dem man auf seine Bestellung kaum warten muss.*

der Gemeinschaftsverband

die Singlegesellschaft

traditionsgeprägt

ⓒ Bilden Sie Komposita zum Stichwort „Globalisierung".

Beispiel   die Umweltbelastung

die Arbeit	*die Güter*	*die Kosten*	*der Träger*
die Belastung	*der Handel*	*der Konsum*	*der Transport*
die Bewegung	*die Hoffnung*	*die Masse*	*die Umwelt*
die Drogen	*die Kinder*	*der Protest*	*die Welt*

`AB 114` 13

<u>4</u>   **Wortbildung**

Zerteilen Sie zusammengesetzte Nomen in ihre Bestandteile und erarbeiten Sie die Bedeutung.

Beispiel   *etwas Unverwechselbares* = etwas, das man nicht verwechseln kann

un-	ver-	wechsel	bar-	es

etwas Bewahrenswertes =

die Vereinheitlichung =

die Wiederherstellung =

Gelesenes zusammenfassen

Für eine Präsentation oder Seminararbeit wollen Sie den Inhalt des Artikels „Heimat, deine Ferne" (auf Seite 121–123) mit eigenen Worten auf Deutsch zusammenfassen. Ihr Text sollte nicht mehr als ein Viertel des Originaltextes lang sein, also circa 250 Wörter.

Schritt 1 — Zwischenüberschriften als „Textgerüst"

Formulieren Sie aus jeder der Überschriften einen kompletten Satz oder einen kurzen Text.

Beispiel: *„Globalisierung versus Sehnsucht nach Heimat"*

Gegenwärtig spürt man in unserer Gesellschaft zwei sehr gegensätzliche Tendenzen. Auf der einen Seite erfahren wir alle die ständig wachsende Globalisierung. Auf der anderen Seite wächst unsere Sehnsucht nach Heimat und Geborgenheit.

Schritt 2 — Schlüsselwörter erkennen und einbauen

Unterstreichen Sie in jedem Absatz die sinntragenden Begriffe.

Beispiel:

Scheinbar alles globalisiert sich heute, nur der Mensch will sich nicht recht fügen. Zwar verdammt ihn die Zeit zum „global player", doch seine Wünsche und Träume stehen nur allzu oft gegen diese Kulturentwicklung. Denn häufig überfordert es ihn, sein Leben nicht nur völlig autonom gestalten zu können, sondern es zu müssen – und er sehnt sich nach dem Halt der guten, alten Heimat. Dabei verdrängt er, dass dieser Halt auch immer Züge von Unfreiheit und Zwang hatte. Heimat ist einerseits ein Ort, aber auch eine Institution im Sinne von festgelegten Gemeinschaftsformen. Beide lösen gleichermaßen Gefühle der Vertrautheit und Zugehörigkeit aus, aus denen Identität entsteht. So war es zumindest jahrtausendelang. Und in dem Maße, in dem Heimat als Ort und Institution verschwindet, verschwindet eine Art und Weise, sich mit der Welt zu identifizieren.

Schritt 3 — Hauptaussagen herauslösen

Fassen Sie bedeutungsähnliche Wörter oder mehrfach Unterstrichenes zu einer Aussage zusammen. z.B.: *Wünsche und Träume* und *Sehnsucht*, oder *gute, alte Heimat* und *Heimat, …*

Schritt 4 — Formulieren eines kohärenten Textes

Verbinden Sie die Sätze und Textteile sinnvoll miteinander. Verwenden Sie Adverbiale wie *deshalb, trotzdem, folglich, außerdem, stattdessen, …* oder Nebensatzkonnektoren wie *da, obwohl, um … zu, anstatt … zu, nachdem.*

Schritt 5 — Korrektur lesen

Prüfen Sie selbst, ob Ihr Text verständlich ist.
Tauschen Sie Ihren Text mit einem Lernpartner / einer Lernpartnerin.

__1__ Zeitreisen – Was fällt Ihnen dazu ein?

__2__ Hören Sie nun eine Dokumentation.

Abschnitt 1   Die Auswanderer und ihre Nachahmer

CD | 57   Hören Sie und ergänzen Sie die Aussagen.

ⓐ Es ist die Rede von den Anfängen der _____ und den ersten
europäischen _____.

ⓑ Das war im _____ Jahrhundert.

ⓒ Einige _____ wollten diese „Zeitreise" noch einmal erleben.

ⓓ Mit einem_____ machen sie sich auf den Weg nach
_____.

ⓔ Die Bedingungen während der Reise sind _____, es gibt
zum Beispiel (kein) _____.

Abschnitt 2   Rückbesinnung auf die „gute alte Zeit".

CD | 58   ⓕ Welche Aspekte machen das Erleben der „guten alten Zeit" besonders
spannend?

ⓖ Inszeniert und gefilmt werden solche Abenteuer als sogenannte
_____shows.

ⓗ Welche Aufgabe übernimmt Hans Peter Amen an Bord der „Bremen"?
_____

ⓘ Probleme hatte der Schiffskoch vor allem mit _____
Bei stürmischer See werden einige Passagiere _____

Abschnitt 3   Die Ankunft

CD | 59   ⓙ Wohin kehren die Abenteurer nach Aussagen des Kommentators
zurück? _____
Was empfinden die Angehörigen der Schiffsreisenden während der Wartezeit?

Person 1: _____

Person 2: _____

Person 3: _____

ⓚ Was für ein Gefühl stellt sich bei den meisten Abenteurern ein?
_____

__3__ Warum unternehmen Menschen heutzutage eine solche Reise?   AB 114 14

10

127

1 *wollen* und *sollen*　　　　　　　　　　　　　　ÜG S. 112

Durch die Verwendung des Modalverbs *sollen* kann man Sätze so
formulieren, dass die Person oder Institution, die etwas will, nicht
erscheint (z.B. weil sie im Kontext bereits genannt wurde).

| Passiv | *Nach heftigen Diskussionen hat der Gemeinderat gestern verschiedene Bau-projekte beschlossen. Unter anderem soll der Kirchplatz neu gestaltet werden.* |
| Aktiv | *Außerdem soll die Verwaltung bis zur nächsten Sitzung Angebote zur Renovierung des Feuerwehrhauses einholen.* |

Bei der Umformulierung ins Passiv wird das Modalverb *wollen* durch
das Modalverb *sollen* ersetzt, wenn das Subjekt des Verbs *wollen* im
Passivsatz nicht mehr erscheint.

wollen	Aktiv	*Kinder wollen,*	*dass die Familie sie schützt.*
	Passiv	*Kinder wollen*	*(, dass sie) von der Familie geschützt werden.*
	Aktiv	*Der Mensch will unverwechselbare Dinge erhalten.*	
sollen	Passiv	*Unverwechselbare Dinge sollen erhalten werden.*	

2 ## Nebensätze mit Modalverb im Passiv

Im Nebensatz steht das Modalverb ganz am Ende.

Hauptsatz:

		Modalverb	Vollverb	*werden*
Viele Kritiker denken:	*Die Globalisierungsgegner*	*müssen*	*ernst genommen*	*werden.*

Nebensatz:

			Vollverb	*werden*	Modalverb
Viele Kritiker denken,	*dass*	*die Globalisierungsgegner*	*ernst genommen*	*werden*	*müssen.*

3 ### *zu* + Partizip I als Adjektiv*　　　　　　　　ÜG S. 116

ⓐ Verwendung als Passiversatz

zu + Partizip I	*zu bewahrende* **Reste von Heimat** *zu lösende* **Schwierigkeiten**
Relativsatz mit *sein* + *zu*	*Reste von Heimat, die zu bewahren sind* *Schwierigkeiten, die zu lösen sind*
Relativsatz mit *müssen* oder *können* im Passiv	*Reste von Heimat, die bewahrt werden müssen* *Schwierigkeiten, die gelöst werden können*

* auch Gerundiv genannt

Der Bedeutungsunterschied zwischen *müssen* und *können* ist
nicht mehr erkennbar:

| *ein zu lösendes* *Problem* | *ein Problem, das gelöst werden kann* *ein Problem, das gelöst werden muss* |

ⓑ Bildung

Artikelwort	*zu*	Partizip I	Adjektivendung	Nomen
ein	*zu*	*lösend*	*es*	*Problem*